JN193548

難治性喘息 診断と治療の手引き

［第２版］2023

The JRS Guidelines for the Management of Refractory Asthma

編　集 ｜ 日本呼吸器学会難治性喘息診断と治療の手引き第2版作成委員会

一般社団法人 日本呼吸器学会
The Japanese Respiratory Society

メディカルレビュー社

序

この度『難治性喘息診断と治療の手引き 第2版 2023』が一般社団法人日本アレルギー学会の協力を得て作成され，上梓されることとなった。近年のアレルギー疾患の増加に示されるように，わが国の気管支喘息患者数は推定では1,000万人と年々増加している。これら増加する気管支喘息の治療は，わが国より発行しているガイドラインに従った吸入ステロイド薬(inhaled corticosteroid：ICS)を中心とした治療の普及によって，多くの喘息患者ではコントロール良好となり，喘息死の低下につながっている。

しかしながら，これら気管支喘息患者の5～10%に難治性喘息が存在し，高用量ICSを中心とした各種治療薬の併用でもコントロール不良で，急性増悪(発作)を繰り返すのが現状である。この難治性喘息をいかにコントロールするかが現時点での最大の課題である。これらコントロール不良の難治性喘息の治療に対応するために，近年，抗IgE抗体薬，抗IL-5／抗IL-5Rα抗体薬，さらに抗IL-4Rα抗体薬，抗TSLP抗体薬が上市され，今後も新しい生物学的製剤などが次々と上市されるべく臨床治験が行われている。さらに，コントロール不良の難治性喘息の非薬物療法として気管支熱形成術(bronchial thermoplasty：BT)も2015年4月より保険適応となっている。これらの生物学的製剤の治療効果は多大なものがあるが，医療経済に負担を与える高価な治療薬であることを考えると，適切なフェノタイプの症例を選択することが望ましく，また，BTにおいても3度の入院を要する侵襲性のある治療法であることを考慮すると，患者選択と施行者の専門性などを適切に検討したうえで行われるべき治療である。2015年12月に「アレルギー疾患対策基本法」が施行された。この法律の基本施策の1つにアレルギー疾患の診断，治療の均てん化がある。これらを踏まえ，2019年に『難治性喘息診断と治療の手引き2019』が発刊された。

さらに，難治性喘息／重症喘息については，2010年に世界保健機関(WHO)で，2014年に米国胸部学会(American Thoracic Society：ATS)と欧州呼吸器学会(European Respiratory Society：ERS)，また，わが国からも『喘息予防・管理ガイドライン』においてそれぞれ定義が公表されているが，それぞれに違いがあり統一的な定義はない。また，2021年に日本喘息学会から『喘息診療実践ガイドライン2021』(PGAM2021)が発刊され(2022年に改訂版であるPGAM2022発行)，日本アレルギー学会から『喘息予防・管理ガイドライン2021』(JGL2021)が改訂された。本手引きでは，難治性喘息の定義を定め，難治性喘息／重症喘息と重症喘息を「難治性喘息」に統一するようにした。今後の喘息治療の方向性として，stepwise approachからtreatable trait approachが必要と考えられつつある。本手引きでは今後も増加する難治性喘息に適応のある高価な治療薬を適切に使用していただけることを期待して，難治性喘息の診断の正確性，治療アドヒアランスの確認，リスク回避，合併症の治療などを確認したうえで，適切に難治性喘息を診断し，さらに治療に結びつくフェノタイプ(エンドタイプ)を考慮して治療薬の選択ができる一助となることを期待してフローチャートやポイントを記してこの手引書を作成した。

本手引きで臨床研究がさらに進み，専門医および非専門医の先生方のお役に立つことを切に願っている。

一般社団法人 日本呼吸器学会
難治性喘息診断と治療の手引き第2版作成委員会
委員長　東田 有智

難治性喘息診断と治療の手引き第2版作成委員会

委員長

東田　有智　　近畿大学病院

副委員長(五十音順)

相良　博典　　昭和大学医学部内科学講座呼吸器・アレルギー内科学部門
永田　真　　埼玉医科大学呼吸器内科／埼玉医科大学病院アレルギーセンター

委員(五十音順)

足立　雄一　　富山大学学術研究部医学系小児科講座
井上　博雅　　鹿児島大学大学院医歯学総合研究科呼吸器内科学
金子　猛　　横浜市立大学大学院医学研究科呼吸器病学
金廣　有彦　　社会医療法人財団聖フランシスコ会 姫路聖マリア病院アレルギー疾患総合診療部門
權　寧博　　日本大学医学部内科学系呼吸器内科学分野
佐野　博幸　　近畿大学医学部内科学教室呼吸器・アレルギー内科部門
多賀谷　悦子　　東京女子医科大学内科学講座呼吸器内科学分野
長瀬　洋之　　帝京大学医学部内科学講座呼吸器・アレルギー学
西村　善博　　北播磨総合医療センター
福永　興壱　　慶應義塾大学医学部呼吸器内科
堀口　高彦　　公益財団法人 豊田地域医療センター
松本　久子　　近畿大学医学部内科学教室呼吸器・アレルギー内科部門
山口　正雄　　帝京大学ちば総合医療センター内科(呼吸器)
横山　彰仁　　高知大学医学部呼吸器・アレルギー内科学教室
吉原　重美　　獨協医科大学医学部小児科学／獨協医科大学病院アレルギーセンター

委員会事務局

岩永　賢司　　近畿大学病院総合医学教育研修センター

外部評価委員（五十音順）

石塚　全　　福井大学医学部病態制御医学講座内科学(3)
今野　哲　　北海道大学大学院医学研究院呼吸器内科学教室
中村　陽一　　横浜市立みなと赤十字病院アレルギーセンター

● COI(利益相反)について

一般社団法人日本呼吸器学会は，COI(利益相反)委員会を設置し，内科系学会とともに策定したCOI(利益相反)に関する当学会の指針ならびに細則に基づき，COI状態を適正に管理している(COI(利益相反)については，学会ホームページに指針・書式等を掲載している)。

〈利益相反開示項目〉該当する場合は具体的な企業名(団体名)を記載する。

1. 企業や営利を目的とした団体の役員，顧問職の有無と報酬額(1つの企業・団体からの報酬額が年間100万円以上)
2. 株の保有と，その株式から得られる利益(1つの企業の年間の利益が100万円以上，あるいは当該株式の5%以上を有する場合)
3. 企業や営利を目的とした団体から支払われた特許権使用料(1つの特許権使用料が年間100万円以上)
4. 企業や営利を目的とした団体から会議の出席(発表)に対し，研究者を拘束した時間・労力に対して支払われた日当(講演料など)(1つの企業・団体からの年間の講演料が合計50万円以上)
5. 企業や営利を目的とした団体がパンフレットなどの執筆に対して支払った原稿料(1つの企業・団体からの年間の原稿料が合計50万円以上)
6. 企業や営利を目的とした団体が提供する研究費(1つの企業・団体から，医学系研究(共同研究，受託研究，治験など)に対して，申告者が実質的に使途を定めて取得した研究契約金の総額が年間100万円以上)
7. 企業や営利を目的とした団体が提供する奨学(奨励)寄付金(1つの企業・団体から，申告者個人または申告者が所属する講座・分野または研究室に対して，申告者が実質的に使途を決定し得る寄付金の総額が年間100万円以上)
8. 企業などが提供する寄付講座に申告者が所属している場合(申告者が実質的に使途を決定し得る寄付金の総額が年間100万円以上)
9. 研究とは直接無関係な旅行，贈答品などの提供(1つの企業・団体から受けた総額が年間5万円以上)

氏名		利益相反事項	
		開示項目	企業名
委員長	東田　有智	4	アストラゼネカ(株) 杏林製薬(株) ノバルティス ファーマ(株) Meiji Seika ファルマ(株)
		6	Meiji Seika ファルマ(株)
		7	杏林製薬(株) 大鵬薬品工業(株) 帝人ファーマ(株) 日本ベーリンガーインゲルハイム(株)
副委員長	相良　博典	4	アストラゼネカ(株) 杏林製薬(株) グラクソ・スミスクライン(株) クラシエ製薬(株) サノフィ(株) ノバルティス ファーマ(株)
	永田　真	4	アストラゼネカ(株) 杏林製薬(株) グラクソ・スミスクライン(株) サノフィ(株) ノバルティス ファーマ(株)
委員	井上　博雅	4	アストラゼネカ(株) 杏林製薬(株) グラクソ・スミスクライン(株) サノフィ(株) 日本ベーリンガーインゲルハイム(株) ノバルティス ファーマ(株)
		6	アストラゼネカ(株) グラクソ・スミスクライン(株)
		7	小野薬品工業(株) グラクソ・スミスクライン(株) (株)新日本科学PPD

氏名		利益相反事項	
		開示項目	企業名
委員	井上　博雅	7	大鵬薬品工業(株) 中外製薬(株) 日本ベーリンガーインゲルハイム(株)
	金子　猛	4	アストラゼネカ(株) 杏林製薬(株) グラクソ・スミスクライン(株) サノフィ(株) 日本ベーリンガーインゲルハイム(株) ノバルティス ファーマ(株)
		7	大鵬薬品工業(株) 中外製薬(株) 帝人ヘルスケア(株) 日本イーライリリー(株)
	金廣　有彦	4	アストラゼネカ(株) グラクソ・スミスクライン(株) サノフィ(株) ノバルティス ファーマ(株)
	權　寧博	4	アストラゼネカ(株) 杏林製薬(株) グラクソ・スミスクライン(株) ノバルティス ファーマ(株)
		6	アストラゼネカ(株) グラクソ・スミスクライン(株) ノバルティス ファーマ(株)
	佐野　博幸	4	アストラゼネカ(株) グラクソ・スミスクライン(株) 日本ベーリンガーインゲルハイム(株) ノバルティス ファーマ(株)
	多賀谷　悦子	4	アストラゼネカ(株) 杏林製薬(株) グラクソ・スミスクライン(株)

氏名		利益相反事項	
		開示項目	企業名
委員	多賀谷　悦子	4	サノフィ(株) 日本ベーリンガーインゲルハイム(株) ノバルティス ファーマ(株)
		7	大鵬薬品工業(株)
	長瀬　洋之	4	アストラゼネカ(株) 杏林製薬(株) グラクソ・スミスクライン(株) サノフィ(株) 日本ベーリンガーインゲルハイム(株) ノバルティス ファーマ(株)
	西村　善博	4	アストラゼネカ(株) 杏林製薬(株) グラクソ・スミスクライン(株) ノバルティス ファーマ(株)
		6	帝人ファーマ(株)
		7	グラクソ・スミスクライン(株) 大鵬薬品工業(株) 中外製薬(株) 日本イーライリリー(株)
	福永　興壱	4	アストラゼネカ(株) 杏林製薬(株) グラクソ・スミスクライン(株) サノフィ(株) 日本ベーリンガーインゲルハイム(株) ノバルティス ファーマ(株)
		6	花王(株) 帝人ファーマ(株) 日本ベーリンガーインゲルハイム(株)
		7	大鵬薬品工業(株) 日本ベーリンガーインゲルハイム(株)
	堀口　高彦	4	アストラゼネカ(株) 杏林製薬(株) グラクソ・スミスクライン(株) サノフィ(株) 日本ベーリンガーインゲルハイム(株) ノバルティス ファーマ(株)
		7	大鵬薬品工業(株)
	松本　久子	4	アストラゼネカ(株) 杏林製薬(株)

氏名		利益相反事項	
		開示項目	企業名
委員	松本　久子	4	グラクソ・スミスクライン(株) サノフィ(株) ノバルティス ファーマ(株)
		6	ノバルティス ファーマ(株)
		7	帝人ファーマ(株)
	山口　正雄	4	アストラゼネカ(株) 杏林製薬(株)
	横山　彰仁	4	アストラゼネカ(株) グラクソ・スミスクライン(株) サノフィ(株) 日本ベーリンガーインゲルハイム(株) ノバルティス ファーマ(株)
	吉原　重美	4	杏林製薬(株) サノフィ(株)
委員会事務局	岩永　賢司	4	杏林製薬(株) グラクソ・スミスクライン(株)
		7	小野薬品工業(株) 杏林製薬(株) 大鵬薬品工業(株) 帝人ファーマ(株) 日本ベーリンガーインゲルハイム(株)
外部評価委員	石塚　全	4	アストラゼネカ(株) グラクソ・スミスクライン(株) 日本ベーリンガーインゲルハイム(株) ノバルティス ファーマ(株)
		7	日本イーライリリー(株)
	今野　哲	4	アストラゼネカ(株) 日本ベーリンガーインゲルハイム(株)
		6	オリンパス(株) ノバルティス ファーマ(株)
		7	杏林製薬(株) 中外製薬(株) 日本ベーリンガーインゲルハイム(株)
		8	日本新薬(株) 日本ベーリンガーインゲルハイム(株) 持田製薬(株)
	中村　陽一	4	グラクソ・スミスクライン(株)

〈開示すべきCOIがない委員〉

(委員)足立　雄一

CONTENTS

難治性喘息診断と治療の手引き ［第２版］2023

第Ⅰ章

難治性喘息／重症喘息の概念と定義

難治性喘息／重症喘息の概念と定義

ポイント

- 難治性喘息とは，「コントロールに，高用量 ICS および LABA，必要に応じて LTRA，SRT，LAMA，OCS，生物学的製剤の投与を要する喘息，またはこれらの治療でもコントロール不良な喘息」かつ「コントロールを不良にさせる因子に充分対応するにもかかわらず，なおコントロール不良であるか，治療を減少させると悪化する喘息」を指す。
- 本手引きでの難治性喘息は，GINA の重症喘息に相当する。

気管支喘息に対する治療として1990年代より吸入ステロイド薬(inhaled corticosteroid：ICS)が普及するとともに患者の症状改善はめざましく，喘息死も大きく減少した。しかし，通常の治療に対する反応性が乏しい難治性／重症の喘息患者への対応で難渋することも少なくない。

これまで，長期管理に経口ステロイド薬(oral corticosteroid：OCS)を継続的に用いなければならない喘息，長期入院や頻回の受診で社会生活に支障を来す喘息，治療抵抗性の喘息などが難治性／重症喘息と考えられてきた。

2014年に欧州呼吸器学会(European Respiratory Society：ERS)と米国胸部学会(American Thoracic Society：ATS)は重症喘息に関するガイドラインを発表し，重症喘息(severe asthma)は「コントロールに高用量ICSに加えて，その他の長期管理薬(および／またはOCS)による治療を要する喘息，あるいはこれらの治療にもかかわらずコントロール不良である喘息」[1]と定義した(表1)。このガイドラインでは，重症喘息の診断のため3つのステージを示している。ステージ1：合併症の有無を含めて喘息が正しく診断されていること，ステージ2：アドヒアランスや吸入手技，必要な治療レベルの評価が適切であること，ステージ3：喘息のコントロール状態の評価が適切であることである。これらをすべて満たす場合に真の重症喘息であるとしている。

2019年の本手引き(『難治性喘息診断と治療の手引き2019』)では，難治性喘息(refractory asthma)を「コントロールに，高用量ICSおよび長時間作用性β_2刺激薬(long-acting β_2 agonist：LABA)，加えてロイコトリエン受容体拮抗薬(leukotriene receptor antagonist：LTRA)，テオフィリン徐放製剤(sustained-release theophylline：SRT)，長時間作用性抗コリン薬(long-acting muscarinic antagonist：LAMA)，OCS，抗IgE抗体，抗IL-5/IL-5Rα抗体の投与を要する喘息，またはこれらの治療でもコントロール不能な喘息」と定義した。

わが国の『喘息予防・管理ガイドライン2021』(JGL 2021)でも同様に，難治性喘息を重症喘息と同義とし「コントロールに高用量ICSおよびLABA，加えてLTRA，SRT，LAMA，OCS，生物学的製剤の投与を要する喘息，またはこれらの治療でもコントロール不能な喘息」[2]と定義している。

喘息管理の国際指針Global Initiative for Asthma (GINA)2021では，重症喘息は，治療困難な(difficult-

表1 2014年のATS/ERSの委員会による重症喘息(6歳以上の喘息患者)の定義

喘息コントロールが不良になることを防ぐために，GINA※ step 4～5に相当する喘息治療(高用量ICS，およびLABA，LTRA，またはテオフィリン薬)を前年に要した状態，もしくは半年以上の持続的なOCSを必要とした状態，あるいはこれらの治療を受けても喘息コントロールが不良であった状態を「難治性喘息」と定義する。

喘息コントロール不良の基準として，下記の①～④いずれかを満たす：
①Asthma Control Questionnaire(ACQ)≧1.5，Asthma Control Test(ACT)<20に相当する不良な症状コントロール
②過去1年間に2回以上，全身性ステロイド薬投与(3日以上)が必要な喘息増悪
③過去1年間に1回以上の喘息による入院やICU管理，機械的人工呼吸
④気管支拡張薬の中止後の予測 FEV_1 が80%未満

高用量ICS，OCS，または生物学的製剤の追加でコントロールされているが，漸減に伴い悪化する喘息も重症喘息として定義する。

※：Global Initiative for Asthma(GINA) [homepage on the Internet]. Global strategy for asthma management and prevention. Updated 2017. Available from：https://ginasthma.org

(文献1より引用)

表2 本手引きでの難治性喘息の定義

難治性喘息は以下の2つを満たす場合と定義する
1.「コントロールに，高用量ICSおよびLABA，必要に応じてLTRA，SRT，LAMA，OCS，生物学的製剤の投与を要する喘息，またはこれらの治療でもコントロール不良な喘息」
2.「コントロールを不良にさせる因子*に充分対応するにもかかわらず，なおコントロール不良であるか，治療を減少させると悪化する喘息」
　*誤って喘息と診断されている(鑑別診断が不十分)
　　吸入手技・アドヒアランス
　　増悪因子：アレルゲン，NSAIDs，β遮断薬，タバコ煙など
　　併存疾患：鼻・副鼻腔疾患，肥満，アスピリン喘息(AERD，N-ERD)，COPDなど

本手引きでの難治性喘息は，GINAの重症喘息に相当する。

to-treat)喘息の一部と位置付け，「アドヒアランスが適切な状況で高用量ICS + LABAの吸入を行い，喘息に寄与する因子を治療しているにもかかわらずコントロールできない喘息，または高用量ICS + LABAを漸減すると悪化する喘息」[3]と定義されている。GINAにおいては治療の最小化についても言及しており，高用量ICS + LABAからステップダウンできない患者においても，重症喘息と定義している。

以上，各ガイドラインにおける重症喘息の定義について述べてきたが，共通しているのは，「適切な診断，アレルゲン・薬剤・タバコ煙などの増悪因子の回避や排除，合併症の治療，吸入手技およびアドヒアランスの確認を行ったうえで，高用量ICS + LABAによる治療によってもコントロール不良な喘息，または高用量ICS + LABAからステップダウンできない喘息」であるといえる。本手引きでもこれまで同様に，難治性喘息(refractory asthma)を「コントロールに，高用量ICSおよびLABA，必要に応じてLTRA，SRT，LAMA，OCS，生物学的製剤の投与を要する喘息，またはこれらの治療でもコントロール不良な喘息」かつ「コントロールを不良にさせる因子に充分対応するにもかかわらず，なおコントロール不良であるか，治療を減少させると悪化する喘息」と定義する(表2)。

難治性喘息の判断には，喘息の診断確定と他疾患の除外が前提となり，合併症［鼻・副鼻腔疾患，肥満，アスピリン喘息(aspirin-exacerbated respiratory disease：AERD，non-steroidal anti-inflammatory drugs-exacerbated respiratory disease：N-ERD)，慢性閉塞性肺疾患(chronic obstructive pulmonary disease：COPD)など］の診断と治療，アレルゲン・薬剤・タバコ煙などの増悪因子の回避や排除，服薬アドヒアランスや吸入手技の改善により，治療困難な(difficult-to-treat)喘息を除外することが必要であり，専門医による評価および管理が推奨される。

本手引きでの難治性喘息は，GINAの重症喘息に相当する。

近年，喘息の分子病態の解明がなされ，吸入療法に加えて生物学的製剤を用いた治療も可能となったことは，難治性喘息患者の福音となっている。その一方で高額な治療費という課題もあり，適切に喘息の重症度を評価し，治療選択を行う重要性は増している。

文献

1）Chung KF, Wenzel SE, Brozek JL, et al. International ERS/ATS guidelines on definition, evaluation and treatment of severe asthma. Eur Respir J. 2014；43：343-73.

2）一般社団法人日本アレルギー学会喘息ガイドライン専門部会(監).「喘息予防・管理ガイドライン 2021」作成委員．喘息予防・管理ガイドライン 2021．東京：協和企画；2021.

3）Global Initiative for Asthma(GINA)．2021 GINA Report, Global Strategy for Asthma Management and Prevention. https://ginasthma.org/wp-content/uploads/2021/05/GINA-Main-Report-2021-V2-WMS.pdf

第２章

難治性喘息の疫学（頻度，有病率）

難治性喘息の疫学(頻度，有病率)

ポイント

- 治療抵抗性の難治性喘息は，喘息患者全体の４～５％を占める。
- 日本の喘息による死亡は1995年以降は漸減し，2021年は喘息死亡総数1,038人であった。

頻度／有病率

喘息患者に占める難治性喘息の頻度は，標準治療として吸入ステロイド薬(inhaled corticosteroid：ICS)が普及していなかった1990年頃までは13～15％程度であり，ICSが普及した1990年代以降では5～10％と報告されている[1)-3)]。ただしこの頻度は，患者の吸入手技やアドヒアランスが不良であることなどが原因である治療困難な喘息と，2011年の米国胸部学会(American Thoracic Society：ATS)と欧州呼吸器学会(European Respiratory Society：ERS)のワークショップ[4)]で定義された真の難治性喘息を区別せずに算出されており，厳格な定義を用いた場合には，正確な数字についてはほとんどわかっていないとされている[5)]。

2015年に報告されたHekkingらの薬局での検討[6)]では，オランダ国内で難治性喘息患者は64,529人で喘息患者全体(370,019人)の17.4％に上ると推定されている。このなかには吸入手技やアドヒアランスが不良の患者が含まれており，それらを除外した真の難治性喘息患者は13,248人で，喘息患者全体の3.6％と算出されている。この検討では，難治性喘息の定義として2011年のATSとERSのワークショップでの定義を採用しており，2014年に新たに改訂されたATSとERSの定義を用いた場合4.5％と算出された。その他複数の国より難治性喘息に関する疫学調査が報告されており，治療抵抗性のある難治性喘息は喘息患者全体の4.2～4.7％と報告されている[7)-9)]。

わが国においても複数の疫学調査がなされており，1つは2019年に報告された健康保険請求データベースを用いた研究[10)]がある。気管支喘息に対し定期診療を受けている17歳以上の患者10,579人が対象とされており，喘息の重症度およびコントロール状態は，ERS/ATSガイドラインの改定された基準を採用している。結果としては，267名(2.5％)が重症でコントロール不良な喘息，556名(5.3％)が重症でコントロールされた喘息，計823名(7.8％)が難治性喘息であった。ただし，この研究では75歳を超える症例がデータベースに含まれていないため，過小評価されている可能性がある。

また，成人患者を対象としたACQUIRE-2研究[11)]では，『喘息予防・管理ガイドライン2015』(JGL2015)およびGlobal Initiative for Asthma 2012(GINA2012)の治療プロトコルに基づき治療を行った患者を対象とし，重症度の評価を行っている。JGL2015のステップ4の治療下でのコントロール不良群は12.9％，GINAのStep 4の治療下でのコントロール不良群は17.9％，Step 5では33.3％と報告されている。後にサブグループ解析ではあるが，全体の12.3％がコントロール不良の難治性喘息患者と特定されている[12]。

さらに2009年から2015年の健康保険請求データベースから喘息と診断された541,434人を対象とした疫学調査がある[13]。日本アレルギー学会の基準を用いて重症診断を行い，16歳以上かつ研究登録から1年以上データベース上に情報のある患者を解析した結果，治療を要する喘息患者54,443人のうち，6,914人(12.6%)が難治性喘息患者であったとしている。ただし，この研究も上記のACQUIRE-2研究も同様に，あくまでレセプト情報からの情報であるため，評価した重症度が実際の患者のコントロール状況を正確には反映していない可能性はある。

成人における難治性喘息と年齢との関係について検討した研究も報告されている。2006年に国立病院と国立療養所で行われた2,524例の成人患者を対象とした共同研究[14]で，『喘息予防・管理ガイドライン2006』(JGL2006)におけるステップ4の治療を行っていても，ステップ2相当以上の症状が持続する難治例は全体の15%を占めていた。年齢階級別にみると，難治例は男女ともに45～64歳群でそれぞれ18%，17%で，ほかの年齢階級に比べ頻度が高かった。

この傾向は海外でのTENOR(The Epidemiology and natural History of Asthma：Outcomes and Treatment Regimens)Studyでも報告されており[15]，高齢者における喫煙や加齢による呼吸機能低下，長期の喘息によるリモデリングのみが難治化の原因ではなく，気道炎症と気道過敏性を特徴とする喘息病態そのものが難治化因子として重要である可能性が示唆されている。

小児の難治性喘息の頻度として，わが国で2011年に行われた全国調査報告[16]では，狭義の難治性喘息の定義である経口ステロイド薬(oral corticosteroid：OCS)依存性の患児は病院0.07%，診療所0.06%であった。通常使用量を超えるICSが必要である場合や，しばしば急性増悪入院し，その度に静脈内ステロイド投与が必要であったなど広義の難治性喘息は，病院2.16%，診療所1.41%であった。1994年に行われた同様の調査では，狭義の難治性喘息は病院0.1%，診療所0.3%，広義の難治性喘息は病院3.5%，診療所1.5%であり，ステロイド薬による定義に該当しない難治性の喘息は，1994年に比べ減少を認めている。

死亡者数／死亡率

わが国の喘息による死亡は厚生労働省人口動態統計によると1980年では喘息死亡総数6,370人，人口10万対の喘息死亡率5.5であったのが，1995年以降は漸減し，

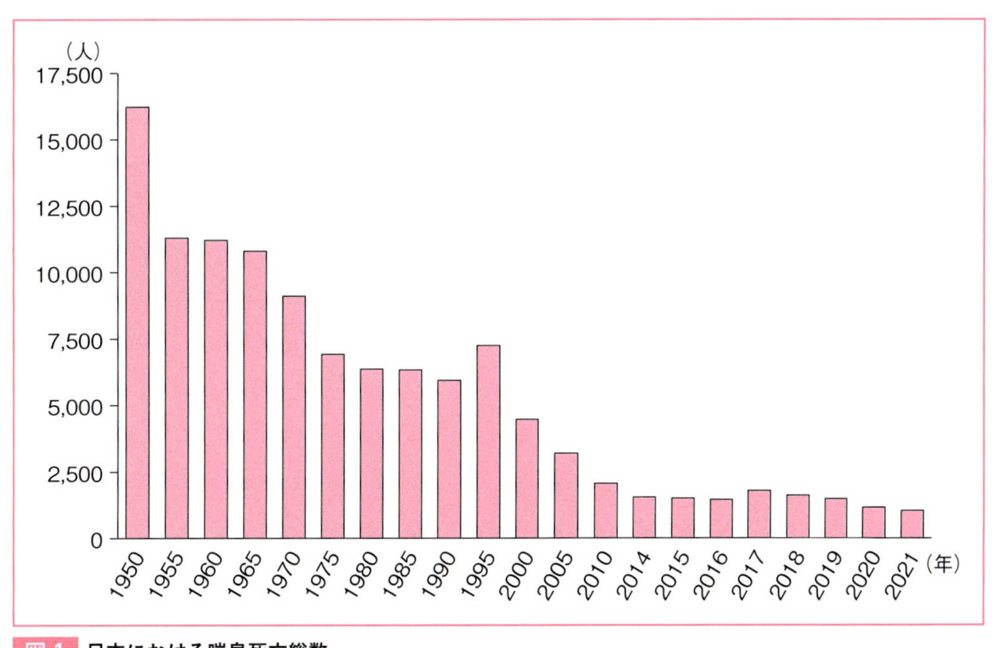

図1 日本における喘息死亡総数

(厚生労働省 人口動態統計より作成)

2021年は喘息死亡総数1,038人(図1)，人口10万対の喘息死亡率0.8であった。また，喘息死亡率の比較には，喘息死の診断の信頼性が高く，集団の年齢による影響を受けにくい5～34歳の年齢階級別喘息死亡率が用いられることが多いが，この5～34歳の年齢階級別喘息死亡率をみても1997年から低下し，2012年以降は0.1(人/人口10万対)と低率を維持している(図2)。この喘息死亡率低下は海外でも同様である[17]。長期的には確実に減少している一方で，2012年に喘息死亡総数2,000人を下回って以降，減少速度自体は鈍化している。この傾向はわが国のみならず世界的な傾向であり，日本を含む46ヵ国(高所得国36ヵ国，中所得国10ヵ国)を対象に世界の喘息死亡率を推定したところ，1993年は10万人あたり0.44であったのに対し2006年は0.19と減少していた。しかし，それ以降は頭打ちとなり2012年は0.19と減少傾向は確認されなかった[18]。論文内ではこの結果の原因として，ICSの不適切な吸入，喫煙の影響，生活様式の変化などを原因として挙げているが，本手引きのテーマである難治性喘息が喘息死に与えている影響は無視できないと考えられる。

わが国での喘息死亡者における喘息重症度についての検討では，死亡前1年間の喘息の重症度を評価している。中等症，重症がそれぞれ33.0%，39.2%であり，この2群で70%以上を占めていた[19]。また，死亡例全体の30～40%が過去に致死的高度急性増悪を経験し，約40%が過去に重篤な急性増悪による入院歴を有していた。海外での報告では，難治性喘息患者における喘息死の前向きコホート研究において，難治性喘息患者の年間死亡率は6.7%であった。年齢別では，30～40歳台では年間死亡率は1.9%にとどまるが，80歳以上では17.8%と高値であった[20]。

小児における喘息死について，成人と同様に近年減少して2008年以降からは0.0～0.1(人/人口10万対)と低値であった(図2)。喘息死が減少した1998年以降の死亡前1年間の喘息の重症度では，軽症33%，中等症26%，重症41%であった[21]。難治性喘息は小児の喘息の5%程度であり[16]，軽症や中等症と比較し喘息死のリスクは高いとされているが，わが国では小児の喘息死では軽症と中等症がほぼ半数を占めており[22]，喘息死の予測は喘息重症度や重度の増悪の既往のみでは困難とされている。

文献

1) Barnes PJ, Woolcock AJ. Difficult asthma. Eur Respir J. 1998；12：1209-18.
2) Busse WW, Banks-Schlegel S, Wenzel SE. Pathophysiology of severe asthma. J Allergy Clin Immunol. 2000；106：1033-42.

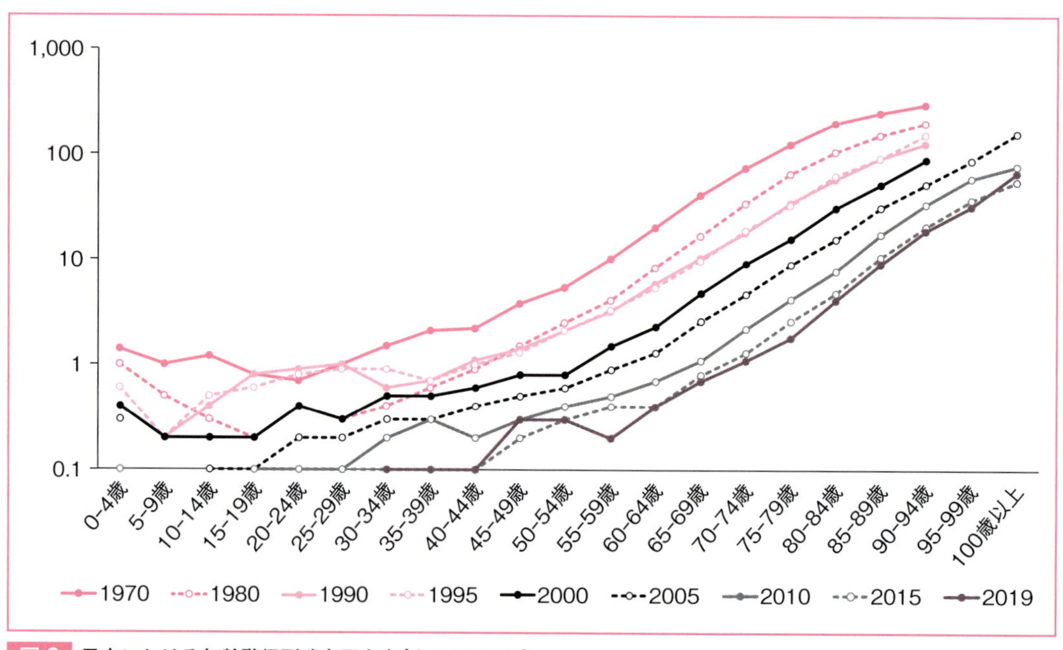

図2 日本における年齢階級別喘息死亡率(人口10万対)

(厚生労働省 人口動態統計より作成)

3) O'Byrne PM, Naji N, Gauvreau GM. Severe asthma：future treatments. Clin Exp Allergy. 2012；42：706-11.
4) Bel EH, Sousa A, Fleming L, et al. Diagnosis and definition of severe refractory asthma：An international consensus statement from the innovative medicine initiative(IMI). Thorax. 2011；66：910-7.
5) Chung KF, Wenzel SE, Brozek JL, et al. International ERS/ATS guidelines on definition, evaluation and treatment of severe asthma. Eur Respir J. 2014；43：343-73.
6) Hekking PP, Wener RR, Amelink M, et al. The prevalence of severe refractory asthma. J Allergy Clin Immunol. 2015；135：896-902.
7) Varsano S, Segev D, Shitrit D. Severe and non-severe asthma in the community：A large electronic database analysis. Respir Med. 2017；123：131-9.
8) Larsson K, Ställberg B, Lisspers K, et al. Prevalence and management of severe asthma in primary care：an observational cohort study in Sweden(PACEHR). Respir Res. 2018；19：12.
9) Chastek B, Korrer S, Nagar SP, et al. Economic burden of illness among patients with severe asthma in a managed care setting. J Manag Care Spec Pharm. 2016；22：848-61.
10) Nagase H, Adachi M, Matsunaga K, et al. Prevalence, disease burden, and treatment reality of patients with severe, uncontrolled asthma in Japan. Allergol Int. 2020；69：53-60.
11) Adachi M, Hozawa S, Nishikawa M, et al. Asthma control and quality of life in a real-life setting：a cross-sectional study of adult asthma patients in Japan(ACQUIRE-2). J Asthma. 2019；56：1016-25.
12) Adachi M, Hozawa S, Nishikawa M, et al. Symptoms and health-related quality of life of patients with "uncontrolled" severe asthma in Japan：a subanalysis of the cross-sectional ACQUIRE-2 study. Ther Res. 2019；40：537-48.
13) Inoue H, Kozawa M, Milligan KL, et al. A retrospective cohort study evaluating healthcare resource utilization in patients with asthma in Japan. NPJ Prim Care Respir Med. 2019；29：13.
14) 福冨友馬, 谷口正実, 粒来崇博, 他. 本邦における病院通院成人喘息患者の実態調査-国立病院機構ネットワーク共同研究. アレルギー. 2010；59：37-46.
15) Slavin RG, Haselkorn T, Lee JH, et al. Asthma in older adults：Observations from the epidemiology and natural history of asthma：Outcomes and treatment regimens(TENOR) study. Ann Allergy Asthma Immunol. 2006；96：406-14.
16) 松井猛彦, 赤坂 徹, 赤澤 昇, 他. 小児難治性喘息に関する全国調査報告書2011. 日小児アレルギー会誌. 2012；26：669-73.
17) Wijiesinghe M, Weatherall M, Perrin K, et al. International trends in asthmamortality rates in the 5- to 34-year age group：A call for closer surveillance. Chest. 2009；135：1045-9.
18) Ebmeier S, Thayabaran D, Braithwaite I, et al. Trends in international asthma mortality：analysis of data from the WHO Mortality Database from 46 countries(1993-2012). Lancet. 2017；390：935-45.
19) Omachi TA, Iribarren C, Sarkar U, et al. Risk factors for death in adults with severe asthma. Ann Allergy Asthma Immunol. 2008；101：130-6.
20) Nakazawa T, Dobashi K. Current asthma deaths among adults in Japan. Allergol Int. 2004；53：205-9.
21) 荒川浩一, 小田嶋博, 末廣 豊, 他；日本小児アレルギー学会・喘息死委員会. 喘息死委員会レポート2011. 日小児アレルギー会誌. 2012；26：781-9.
22) Anagnostou K, Harrison B, Iles R, et al. Risk factors for childhood asthma deaths from the UK Eastern Region Confidential Enquiry 2001-2006. Prim Care Respir J. 2012；21：71-7.

第3章

難治性喘息の病態

A 遺伝的素因

ポイント

- 喘息の難治化には環境因子などの関与が重要であるが，近年ではGWASなどにより喘息難治化にかかわる遺伝子が発見されている。
- 候補遺伝子のなかには治療反応性に関連するもの，難治化に関連するものがある。
- 遺伝的素因をベースに環境因子がトリガーになっているものがあり，特に難治性喘息においては遺伝的素因も配慮した治療も今後必要になってくる可能性がある。

喘息遺伝子の探索

難治性喘息の病因として環境因子，合併症，ウイルス感染などに加え，遺伝的素因の存在がさらに難治化を誘導している可能性が考えられる。喘息の発症にかかわる遺伝子，すなわち感受性候補遺伝子の探索として，病態から疾患への寄与が想定される分子を調べる候補遺伝子アプローチ法が用いられてきた。一方，近年ゲノム全体を対象とした網羅的な解析が進み，1,000万ヵ所以上の遺伝子多型(single nucleotide polymorphisms：SNPs)が検出，そのなかの50～100万ヵ所の遺伝子型が決定され，それらをマーカーに病気や量的形質の関連を統計学的に調べる方法としてゲノムワイド関連解析(genome wide association study：GWAS)が開発され，2007年以降喘息においてもGWASによってリスクを増加させる可能性がある遺伝子群が発見されている[1]。本項では，これまでの候補遺伝子アプローチ法やGWASによって喘息難治化にかかわると考えられている代表的な関連遺伝子について，以下に概説したい。

治療反応性にかかわる代表的遺伝子

気管支拡張薬反応性にかかわる遺伝子：*ADRB2*

β_2刺激薬に対する反応性に関しては，以前より候補遺伝子アプローチ法によりβ_2アドレナリン受容体(*ADRB2*)のSNPsとの関係の研究が精力的に進められてきた。なかでもArg16Glyはその変異頻度も高く，喘息発症との関連を決定付ける報告は現在のところないが，β_2刺激薬の効果との関連についての数多くの研究成果が散見される。その1つにADRB遺伝子のArg16Gly遺伝子多型の遺伝的影響を検討した研究において，Arg/Arg遺伝子多型をもつ患者は吸入ステロイド薬(inhaled corticosteroid：ICS)単独使用と比べてICS/長時間作用性β_2刺激薬(long-acting β_2 agonist：LABA)使用時に呼吸機能の改善は認めたものの，半数近い患者で気道過敏性は悪化したと報告されている[2]。このようにLABAに対する治療反応性が乏しい16Arg/ArgのSNPをもつ患者では，ICS併用薬として長時間作用性抗コリン薬(long-acting muscarinic antagonist：LAMA)やロイコトリエン受容体拮抗薬(leukotriene receptor antagonist：LTRA)への切り替えも治療選択肢として検討することを示唆する報告もある[3)4)]。

ICS 治療に対する変異：*GLCCI1*

難治性喘息にとってICS治療に対する抵抗性は重要な病因の1つである。以前よりICS反応性と遺伝的背景に関する研究が進められてきた[5)6)]。一方，GWASにおいても，ICS反応性を規定する遺伝子をゲノム網羅的に解析した検討では，glucocorticoid-induced transcript 1遺伝子(*GLCCI1*)の影響が報告されている。これによると*GLCCI1*の変異をもつ患者はICS治療による呼吸機能の改善が低いことが示され[7)]，遺伝的背景によるステロイド反応性の違いについて今後のさらなる研究が期待されている。

喘息難治化にかかわる代表的遺伝子

ORMDL3

2007年に最初にGWASによって報告された喘息関連遺伝子が*ORMDL3*である[8)]。*ORMDL3*は気管支喘息に関与する好酸球，T細胞などの小胞体で発現が亢進し，好酸球における役割も明らかになってきた。また，若年発症における喘息患者の重症度との関連も示されており，難治性喘息発症に関連する遺伝子の1つとして注目されている[9)]。

IL-33/IL1RL1

IL-33は気道上皮細胞などの核内に局在し，主にウイルスや真菌などによる組織損傷によって放出されるサイトカインであるが，グループ2自然リンパ球(group 2 innate lymphoid cell：ILC2)あるいはアレルゲンとともにTh2細胞を刺激し，2型サイトカイン(IL-5，IL-13)産生にもかかわる。*IL1RL1*はIL-33の受容体ST2のコード領域であり，この領域にあるSNPsが難治性喘息患者で検討されたGWASで明らかになっており，IL-33産生にも影響を与えることが示されている[10)11)]。

TSLP

TSLPは樹状細胞を活性化し，Th2応答を誘導する作用やIL-33同様ILC2に対する直接作用をもち，また難治性喘息患者においてTSLP発現亢進が認められていることから，喘息病態関連の重要な因子として考えられている。そして，TSLPはGWAS研究で日本人成人喘息[12)]をはじめ，複数の人種において喘息関連遺伝子として同定されており，今後このSNPsが病態にどのように影響を与えるか，さらなる検討が望まれている。

CDHR3

Cadherin related family member 3(CDHR3)はヒトの肺や気道上皮に高発現しているタンパクである。喘息難治化を引き起こすウイルスのうちライノウイルス，なかでもライノウイルスC型(RV-C)はCDHR3を受容体として感染を起こす。GWASで検出されたCDHR3遺伝子領域で最も強い関連が示された一塩基多型(CDHR3-Y529)は*in vitro*でRV-Cへの結合と増殖の強さが示され[13)]，また日本人における解析でも小児期発症の成人喘息と関連があることが示されている[14)]。

まとめ

難治性喘息に関連する，これまで報告された代表的な遺伝的素因について概説した。喘息の病態は環境因子によるところも大きいが，若年発症難治化などにおいては遺伝的素因に環境因子がトリガーとなっている可能性も十分に考えられる。また，現時点では具体的な指針は示されていないが，通常の治療効果が得られない難治性の患者には，このような遺伝的背景の存在を考慮したうえで喘息治療の選択を行っていくことが今後の検討課題として考えられる。

文献

1) Shrine N, Portelli MA, John C, et al. Moderate-to-severe asthma in individuals of European ancestry：a genome-wide association study. Lancet Respir Med. 2019；7：20-34.
2) Wechsler ME, Kunselman SJ, Chinchilli VM, et al. Effect of beta2-adrenergic receptor polymorphism on response to longacting beta2 agonist in asthma(LARGE trial)：a genotype-stratified, randomised, placebo-controlled, crossover trial. Lancet. 2009；374：1754-64.
3) Bateman ED, Kornmann O, Schmidt P, et al. Tiotropium is noninferior to salmeterol in maintaining improved lung function in B16-Arg/Arg patients with asthma. J Allergy Clin Immunol. 2011；128：315-22.

4) Turner S, Francis B, Vijverberg S, et al. Childhood asthma exacerbations and the Arg16 β2-receptor polymorphism：A meta-analysis stratified by treatment. J Allergy Clin Immunol. 2016；138：107-13.
5) Tantisira KG, Lake S, Silverman ES, et al. Corticosteroid pharmacogenetics：association of sequence variants in CRHR1 with improved lung function in asthmatics treated with inhaled corticosteroids. Hum Mol Genet. 2004；13：1353-9.
6) Hawkins GA, Lazarus R, Smith RS, et al. The glucocorticoid receptor heterocomplex gene STIP1 is associated with improved lung function in asthmatic subjects treated with inhaled corticosteroids. J Allergy Clin Immunol. 2009；123：1376-83.
7) Tantisira KG, Lasky-Su J, Harada M, et al. Genomewide association between GLCCI1 and response to glucocorticoid therapy in asthma. N Engl J Med. 2011；365：1173-83.
8) Moffatt MF, Kabesch M, Liang L, et al. Genetic variants regulating ORMDL3 expression contribute to the risk of childhood asthma. Nature. 2007；448：470-3.
9) Ha SG, Ge XN, Bahaie NS, et al. ORMDL3 promotes eosinophil trafficking and activation via regulation of integrins and CD48. Nat Commun. 2013；4：2479.
10) Bønnelykke K, Sleiman P, Nielsen K, et al. A genome-wide association study identifies CDHR3 as a susceptibility locus for early childhood asthma with severe exacerbations. Nat Genet. 2014；46：51-5.
11) Ho JE, Chen WY, Chen MH, et al. Common genetic variation at the IL1RL1 locus regulates IL-33/ST2 signaling. J Clin Invest. 2013；123：4208-18.
12) Harada M, Hirota T, Jodo AI, et al. Thymic stromal lymphopoietin gene promoter polymorphisms are associated with susceptibility to bronchial asthma. Am J Respir Cell Mol Biol. 2011；44：787-93.
13) Bochkov YA, Watters K, Ashraf S, et al. Cadherin-related family member 3, a childhood asthma susceptibility gene product, mediates rhinovirus C binding and replication. Proc Natl Acad Sci U S A. 2015；112：5485-90.
14) Kanazawa J, Masuko H, Yatagai Y, et al. Genetic association of the functional CDHR3 genotype with early-onset adult asthma in Japanese populations. Allergol Int. 2017；66：563-7.

B 難治性喘息のフェノタイプとクラスター解析

1 成人発症

ポイント

- クラスター解析法を用いて特徴ある集団，すなわちフェノタイプ(表現型)分類に分ける研究から，その集団を規定する遺伝子型を含めた分子などを見出し，分子病態をもとに分類するエンドタイプ分類との統合が試みられるようになってきている。
- 成人発症の難治性喘息において，これらの分類をもとに診断・治療選択の方向性が示されることで，Precision Medicine の実現につながることが期待される。

難治性喘息における フェノタイプ分類の重要性

近年，吸入ステロイド薬(inhaled corticosteroid：ICS)を中心とした抗喘息薬の普及により，多くの喘息患者が病態の安定を図れるようになった。一方で，これまでの抗喘息薬を用いた画一的な治療では，コントロールができない難治性喘息が存在することも明らかになってきた。患者のアドヒアランス不良など，診断前に再度見直すべき点はあるが，難治化する背景の多くにはさまざまな要因が存在する。こういった症例を医師の経験によることなく適切に分類し，効率よく治療に導くことが重要な課題となっている。そこで難治性喘息の集団を臨床症状，発症年齢，経過，性別，重症度，呼吸機能，画像検査，治療反応性などの指標を用いて分類することで，それぞれのフェノタイプ(表現型)に対して適切な治療を提供する試みがなされるようになった。

フェノタイプとは遺伝子型が形質として表現されたものをいうが，環境など外的要因の影響を受けることで，その表現型も変化する可能性をもつ。このフェノタイプを外面的に観察できる因子，すなわち臨床像などさまざまな指標をもとに患者を分類し，特徴ある集団に分けていくことをフェノタイプ分類と呼び，これを分類する際の主な統計学的手法としてクラスター解析が用いられている。また，その集団を規定する遺伝子型を含めた分子などを見つけ出し，疾患をその分子病態をもとに分類していくことをエンドタイプ分類と呼んでいる。

クラスター解析を用いた フェノタイプ分類

難治性喘息に対してこれまでいくつかのクラスター分類が試みられてきた。最初の分類は Haldar らが，米国胸部学会(American Thoracic Society：ATS)の基準により難治性喘息と診断された患者を，①Early Onset/Atopic，②Obese/Noneosinophilic，③Early Symptom Predominant，④Inflammation Predominant の4つのタイプに分類した[1]。また，Moore らは同様に難治性喘息の定義を満たす非喫煙者喘息群においてクラスター解

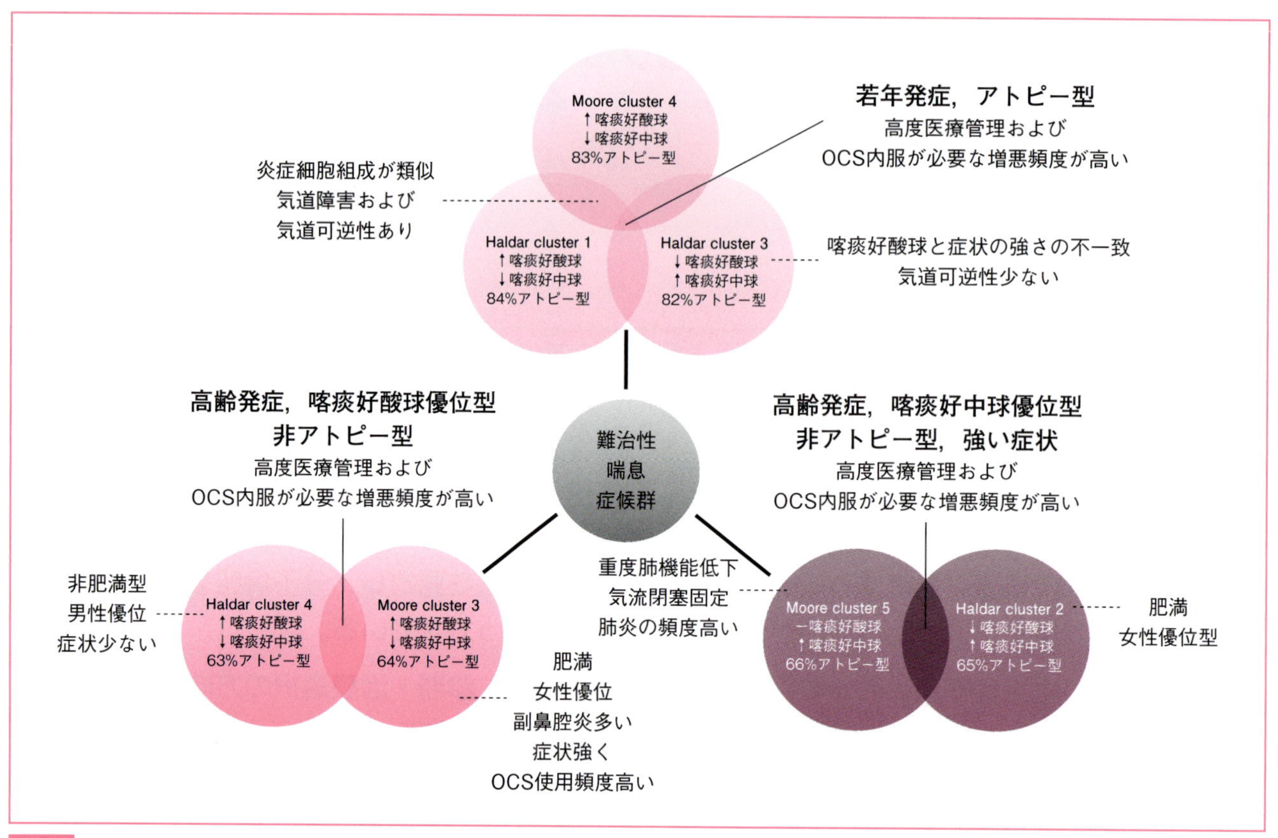

図1 **難治性喘息：クラスター解析を用いたフェノタイプ分類**

OCS：経口ステロイド薬(oral corticosteroid)。

Adapted by permission from Springer Nature：Springer Nature. Curr Allergy Asthma Rep. Phenotype-Driven Therapeutics in Severe Asthma., Opina MT et al., ©2017

（文献3より引用）

析を行い，独立する5つのフェノタイプを特定した。その結果，対標準1秒量(% FEV_1)，Maximal % FEV_1 [短時間作用性 β_2 刺激薬(short-acting β_2 agonist：SABA)を6～8吸入後に測定]，発症年齢の3つが重要であることを報告している[2)]。

さらにOpinaらは，このHaldarとMooreの結果を比較検討して図1のような結果にまとめた[3)]。2つの報告のなかには類似性をもつクラスターが存在していることを明らかにし，これらは真の難治性喘息のフェノタイプを表している可能性があり，今後のフェノタイプ分類が行われる際の指標となりうる結果となった。さらに，これらの知見から得られたフェノタイプをもとに，その診断，治療選択の方向性を示している(図2)[3)]。

一方，Kanekoらは日本人におけるクラスター解析について報告している[4)]。呼吸器内科医によって診断された成人喘息患者を対象にクラスター解析を行った結果，6つのクラスターに分類された。本研究では遺伝子解析も併せて行っており，気管支喘息との関連が報告されている*CCL5*-28Gアレルや，β_2 アドレナリン受容体をコードする遺伝子である*ADRB2* Gly 16アレルと関連するクラスターを見出した。これはフェノタイプとエンドタイプの関連を示した報告である。

また，最近では肺外合併症(肥満やうつ)や生活習慣(活動性，喫煙歴など)を因子としてクラスター解析を行い，抗喘息薬を用いた標準治療だけではない治療介入の必要性が示されている[5)6)]。さらに喀痰などの患者検体を用いて，Genomics，Transcriptomics，Metabolomicsなど遺伝子，タンパク質，代謝物質などの解析を網羅的に行い(Omics解析)，これに臨床情報を統合させたクラスター解析なども行われ，フェノタイプとエンドタイプをより強固に結びつける解析が進んでいる[7)]。

難治性喘息の診断確定
アドヒアランスの確認

フェノタイプ評価項目

- スパイロメトリー
- 喘息症状
- アレルギーの有無
- 喘息罹患歴・発症年齢・家族歴
- 増悪による経口ステロイド薬使用頻度および医療機関受診
- 併存症の確認
  - ➢ GERD
  - ➢ 重症副鼻腔炎
  - ➢ 肥満
  - ➢ 睡眠時無呼吸症候群
  - ➢ 繰り返す下気道感染

フェノタイプ
バイオマーカー
評価

バイオマーカー評価項目

- アレルギー感作の有無
- 皮膚プリックテストあるいはRAST
- 非特異的IgE
- 白血球分画
- FeNO

	アレルギー（アトピー）型	好酸球優位型	呼吸機能低下型	好中球優位型
関連因子	花粉症 季節性増悪 IgE 高値 特異的アレルゲン陽性	好酸球性気道炎症 血液・喀痰好酸球 FeNO 高値	慢性気流閉塞 気道リモデリング 気道壁肥厚 粘液産生亢進	非アレルギー型 繰り返す下気道感染
治療選択候補	抗 IgE 抗体 抗 IL-4/IL-13 抗体 抗 IL-4 抗体	抗 IL-5 抗体 抗 IL-4/IL-13 抗体 抗 IL-4 抗体	LAMA 抗 IL-13 抗体	マクロライド系抗菌薬 LAMA CXCR2 阻害薬

図2 フェノタイプ分類とそれぞれの治療の可能性

RAST：放射性アレルゲン吸着試験（radioallergosorbent testing），FeNO：呼気中一酸化窒素濃度（fraction of exhaled nitric oxide），LAMA：長時間作用性抗コリン薬（long-acting muscarinic antagonist）。
Adapted by permission from Springer Nature：Springer Nature. Curr Allergy Asthma Rep. Phenotype-Driven Therapeutics in Severe Asthma., Opina MT et al., ©2017

（文献3より引用改変）

まとめ

難治性喘息におけるフェノタイプ分類の研究は，臨床情報をもとにした分類から，遺伝子，タンパク質，そして代謝産物などエンドタイプと融合させたクラスター分類に発展しつつある。フェノタイプ分類の目的は，分類することのみにとどまらず，それぞれのクラスターについての治療指針を打ち出すことにある。吸入薬，併用内服薬，生物学的製剤などの薬物治療の選択のほか，合併症の管理・治療への介入，環境因子の調整など適切な方針を患者に提供することが重要であり，さらにこれに分子レベルでの解釈を統合的に取り入れて適切な治療方針へ導くことが今後の大きな課題である。そして，この課題の解決は難治性喘息患者へのPrecision Medicineの実現につながると考えられる。

文献

1) Haldar P, Pavord ID, Shaw DE, et al. Cluster analysis and clinical asthma phenotypes. Am J Respir Crit Care Med. 2008；178：218-24.
2) Moore WC, Meyers DA, Wenzel SE, et al. Identification of asthma phenotypes using cluster analysis in the Severe Asthma Research Program. Am J Respir Crit Care Med. 2010；181：315-23.
3) Opina MT, Moore WC. Phenotype-Driven Therapeutics in Severe Asthma. Curr Allergy Asthma Rep. 2017；17：10.
4) Kaneko Y, Masuko H, Sakamoto T, et al. Asthma phenotypes in Japanese adults - their associations with the CCL5 and ADRB2 genotypes. Allergol Int. 2013；62：113-21.
5) Ilmarinen P, Tuomisto LE, Niemelä O, et al. Cluster Analysis on Longitudinal Data of Patients with Adult-Onset Asthma. J Allergy Clin Immunol Pract. 2017；5：967-78.
6) Freitas PD, Xavier RF, McDonald VM, et al. Identification of asthma phenotypes based on extrapulmonary treatable traits. Eur Respir J. 2021；57：2000240.
7) Kuo CS, Pavlidis S, Loza M, et al；U-BIOPRED Study Group. T-helper cell type 2(Th2)and non-Th2 molecular phenotypes of asthma using sputum transcriptomics in U-BIOPRED. Eur Respir J. 2017；49：1602135.

B 難治性喘息のフェノタイプとクラスター解析

2 小児発症

ポイント

- 小児難治性喘息のフェノタイプとして，小児期発症において複数アレルゲン陽性のアトピー型喘息と呼吸機能低下のある好中球性喘息がある。思春期発症において非アトピー型難治性好酸球性喘息と肥満女性の好中球性喘息がある。
- 乳幼児喘息のフェノタイプは，IgE関連疾患（アトピー型喘息）と非IgE関連喘息（ウイルス誘発性喘息）の大きく2つに分類される。
- 学童期難治性喘息のフェノタイプとして，早期発症アトピー型喘息・軽度気流制限と早期発症アトピー型喘息・進行性の気流制限がある。
- 小児発症継続群は成人発症群および小児発症再発群と比較して成人喘息の重症度が高い。

フェノタイプ

1. フェノタイプの重要性

Global Initiative for Asthma 2016（GINA2016）[1]において，「喘息はheterogeneousな疾患」と記載されている。そこで，小児喘息患者は，家族歴などの背景，臨床的（発症年齢，誘発因子，合併症，急性増悪の頻度，呼吸機能レベルによる重症度）あるいは病理生理学的な特徴から，いくつかの集団に病型分類することができる。これらをフェノタイプという。フェノタイプに分けることによって，病因の解明，個別化治療および予後の予測など最適な医療・管理につながる。

2. 小児喘息のフェノタイプ

小児喘息のフェノタイプを図1に示す[2]。小児難治性喘息のフェノタイプとして，小児期発症において，複数アレルゲン陽性のアトピー型喘息と呼吸機能低下のある好中球性喘息がある。また，思春期発症において，非アトピー型難治性好酸球性喘息と肥満女性の好中球性喘息がある。

1）乳幼児喘鳴のフェノタイプ

表1に，乳幼児喘鳴のフェノタイプを示す[3]。乳幼児期は喘鳴が起こりやすく，反復する喘鳴性疾患に複数の病型分類／亜型（フェノタイプ）が認められることは必然である[4]。2003年に発表されたTucson Children's Respiratory Study[5]では，乳幼児の喘鳴性疾患を一過性初期喘鳴群（transient early wheezers）と非アトピー型喘鳴群（non-atopic wheezers），IgE関連喘鳴／喘息群

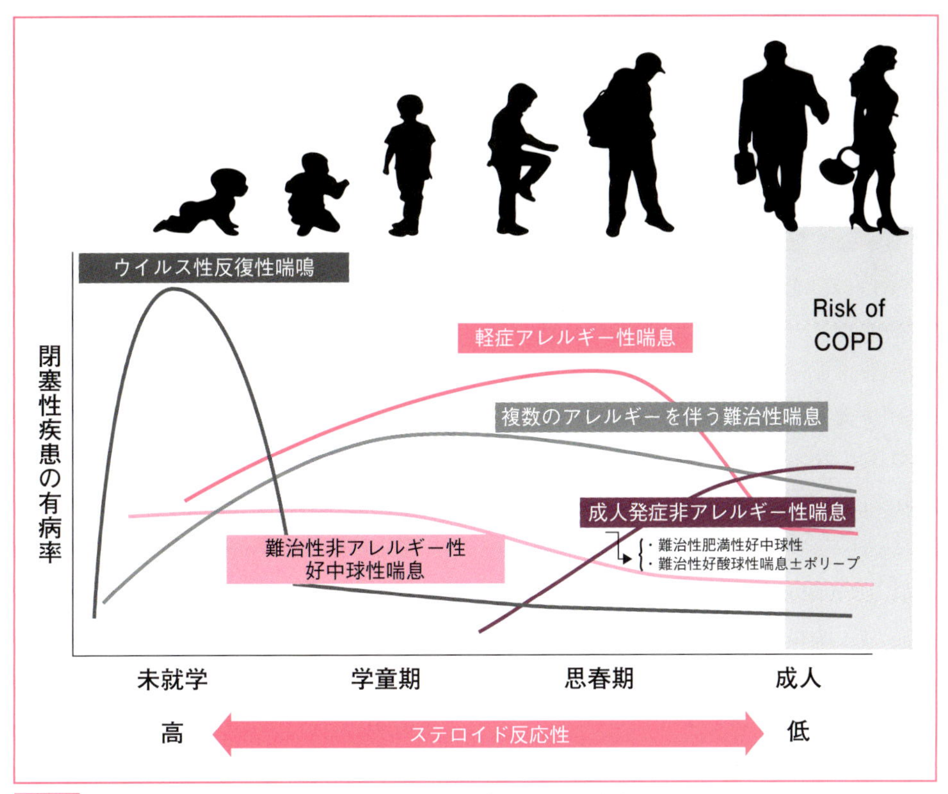

図 1 小児期から成人期における喘息フェノタイプの分類と有病率

Just J, et al., Clin Exp Allergy©.John Wiley and Sons.

（文献 2 より引用）

表 1 乳幼児喘鳴のフェノタイプ

	特徴	
Tucson Children's Respiratory Study (2003)[5]	臨床経過から分類 ① transient early wheezers ③ IgE-associated wheezers/asthma	 ② non-atopic wheezers
ERS Task Force (2008)[6]	喘鳴の時間的パターンから分類 ① multiple-trigger wheeze	 ② episodic (viral) wheeze
	喘鳴の期間から分類 ③ transient wheeze ⑤ late-onset wheeze	 ④ persistent wheeze
PRACTALL (2008)[7]	臨床経過から分類 ① virus-induced asthma ③ allergen-induced asthma	 ② exercise-induced asthma ④ unresolved asthma
JPGL (2020)[3]	① IgE 関連喘息（アレルゲン誘発性喘息／アトピー型喘息） 乳幼児喘息のうち，「乳幼児 IgE 関連喘息の診断に有用な所見」を満たす場合を IgE 関連喘息という。 ②非 IgE 関連喘息（ウイルス誘発性喘息など） 乳幼児喘息のうち，「乳幼児 IgE 関連喘息の診断に有用な所見」を満たさない場合を非 IgE 関連喘息といい，RAD が占める割合が多い。	

（文献 3 より引用）

(IgE-associated wheezers/asthma)の3つに分類している。2008年に乳幼児の喘鳴性疾患の診断と治療に関して，ERS Task Force[6]とPRACTALL consensus report[7]から提言が発表された。前者が発表したレポートでは，未就学児の喘鳴が年長児の喘息と同等であるとのエビデンスは現時点では不十分とし，喘息(asthma)という単語を使わず，喘鳴(wheeze)を使用している。そして，喘鳴のタイプを時間的パターンから，multiple-trigger wheezeとepisodic(viral)wheezeの2種類に分け，前者には吸入ステロイド薬(inhaled corticosteroid：ICS)が，後者にはロイコトリエン受容体拮抗薬(leukotriene receptor antagonist：LTRA)による治療が有効であると提言している。

一方，PRACTALL consensus reportでは，喘息のフェノタイプとして，virus-induced asthma，exercise-induced asthma，allergen-induced asthma，unresolved asthmaの4種類の分類を採用している。そして，低年齢，ウイルス性の喘息にはLTRAを基本とし，乳幼児でもアトピー型喘息についてはICSを第一選択薬とすることを提言している。

さらに『小児気管支喘息治療・管理ガイドライン2020』(JPGL2020)[3]では，乳幼児喘息の病態の多様性を考慮し，IgE関連喘息(アレルゲン誘発性喘息／アトピー型喘息)と非IgE関連喘息(ウイルス誘発性喘息など)に分類している。この非IgE関連喘息は，ウイルス，タバコ煙，冷気などから引き起こされる喘息を含み，特にウイルス感染やその他の環境要因などにより生じる反応性気道疾患[8](reactive airway disease：RAD)の占める割合が高い[9]。しかし，近年乳児期のRSウイルス感染による重症細気管支炎をヒト化RSウイルスモノクローナル抗体であるパリビズマブで抑制すると，6歳時点の反復性喘鳴が抑制されることが示された。すなわち，RSウイルスの関連する非アトピー型喘息発症のフェノタイプが証明されている[10][11]。Guilbertら[12]のコホート調査において，乳幼児期から学童期に喘息に移行し，難治化する可能性のある特徴を表2に示す。

2)学童期喘息のフェノタイプとクラスター解析

学童期喘息では，喘息の診断に難渋することは少ない。そこで，主に難治性喘息に焦点をあて解説する。米国のSevere Asthma Research Program(SARP)から抽出された6～17歳の喘息患者161名，軽～中等症72名，重症(難治性)89名のデータをクラスター解析した結果を図2に示す[13][14]。4つのフェノタイプ，Cluster 1は晩期発症・呼吸機能正常，Cluster 2は早期発症アトピー型喘息・呼吸機能正常，Cluster 3は早期発症アトピー型喘息・軽度気流制限，Cluster 4は早期発症アトピー型喘息・進行性の気流制限に分類された。そのうち，Cluster 3とCluster 4は難治性喘息である。特に，Cluster 4は，高用量ICSの使用，高い受診頻度，呼気中一酸化窒素濃度(fraction of exhaled nitric oxide：FeNO)の高値，過膨張を認めている。

さらに，重症(難治性)喘息児は，軽～中等症喘息児と比較して，吸入性アレルゲンへの感作率，血清IgE値や末梢血好酸球数が高値であると報告している[15]。さらに，Fitzpatrickらは，6～17歳の喘息患者513名を対象に31項目の喘息増悪リスク因子を解析し，4つにクラス分類した[16]。増悪頻度は，クラス1；少数アレルゲン感作で呼吸機能正常22.4%，クラス2；少数アレルゲン感作で呼吸機能正常・過去の重度の増悪あり27.9%，クラス3；複数アレルゲン感作で可逆的気流制限45.3%，クラス4；複数アレルゲン感作で部分的な可逆的気流制限64.3%の順に少なかった。

フランスのJustらは[17]，Trousseau Asthma Program(TAP)のstudyにおいて，6～12歳の315名の喘息児をクラスター解析した結果，Cluster 1は重度増悪・複数アレルゲン感作(32.1%)，Cluster 2は好中球性難治性喘息・気流制限(44.4%)，Cluster 3は軽症喘息(23.5%)のフェノタイプに分類された。その結果から，好中球性炎症が難治化に関与することが示唆される。

上記，米国およびフランスのクラスター解析の成績か

表2　学童期以降に喘息に移行し，難治化する可能性のある特徴

- 男児
- ライノウイルス下気道感染症による繰り返す喘鳴
- 乳児期のRSウイルス重症細気管支炎の既往児
- 両親の喘息の家族歴
- アトピー性皮膚炎の既往
- 生後9ヵ月時点の血中好酸球が4%以上
- 食物や吸入アレルゲンの早期感作
- 乳幼児期早期における低肺機能

(文献12より引用改変)

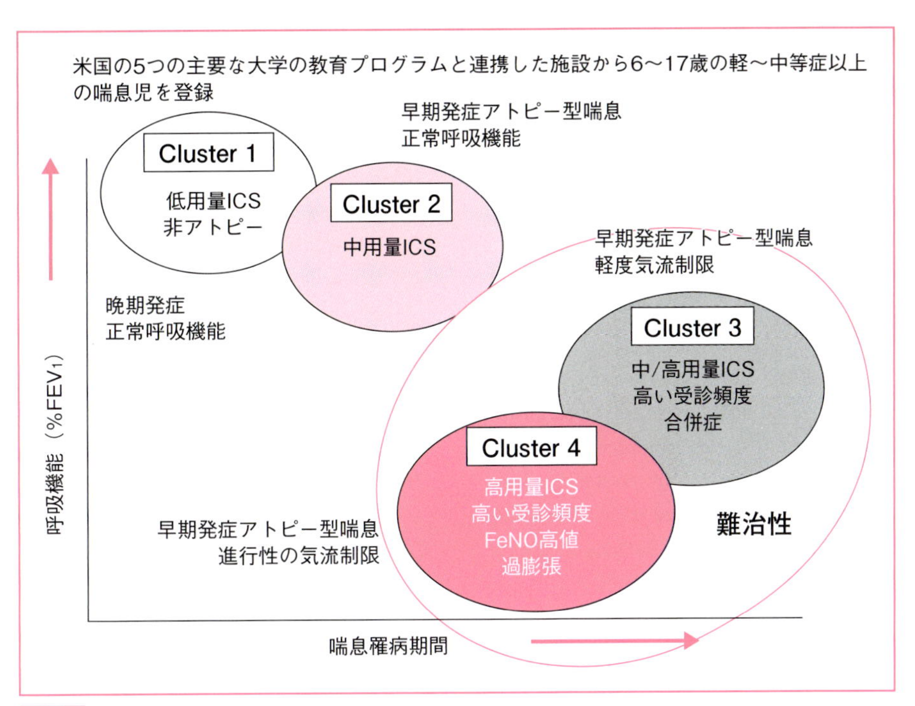

図2 クラスター解析による小児喘息のフェノタイプ

Fitzpatrick AM, et al., Severe asthma in childhood：recent advances in phenotyping and pathogenesis., Curr Opin Allergy Clin Immunol, 12(2), 193-201 (Website URL：https://journals.lww.com/co-allergy/Abstract/2012/04000/Severe_asthma_in_childhood___recent_advances_in.16.aspx)

（文献 14 より引用）

ら，小児難治性喘息のフェノタイプとして，複数アレルゲン陽性のアトピー型喘息と呼吸機能低下を伴う好中球性喘息が挙げられる。すなわち，小児難治性喘息の発症には，複数アレルゲン陽性と持続的な呼吸機能低下が関連する。

3) 小児発症喘息の成人喘息への影響

To らは[18]，1,443 名の成人喘息患者を対象に，成人発症群，小児発症継続群，小児発症再発群の 3 つのフェノタイプで検討すると，小児発症継続群が最も成人喘息の重症度が高く，肺活量の 75%での強制呼気流量の低下，血中好酸球数と IgE 値の増加を認めたことを報告している。

● 文献

1) Global Initiative for Asthma (GINA). 2016 GINA Report, Global Strategy for Asthma Management and Prevention. https://ginasthma.org/wp-content/uploads/2016/04/wms-GINA-2016-main-report-final.pdf
2) Just J, Bourgoin-Heck M, Amat F. Clinical phenotypes in asthma during childhood. Clin Exp Allergy. 2017；47：848-55.
3) 足立雄一，滝沢琢己，二村昌樹，他(監)．日本小児アレルギー学会．小児気管支喘息治療・管理ガイドライン 2020．東京：協和企画；2020.
4) Stein RT, Holberg CJ, Morgan WJ, et al. Peak flow variability, methacholine responsiveness and atopy as markers for detecting different wheezing phenotypes in childhood. Thorax. 1997；52：946-52.
5) Taussig LM, Wright AL, Holberg CJ, et al. Tucson Children's Respiratory Study：1980 to present. J Allergy Clin Immunol. 2003；111：661-75.
6) Brand PL, Baraldi E, Bisgaard H, et al. Definition, assessment and treatment of wheezing disorders in preschool children：an evidence-based approach. Eur Respir J. 2008；32：1096-110.
7) Bacharier LB, Boner A, Carlsen KH, et al. Diagnosis and treatment of asthma in childhood：a PRACTALL consensus report. Allergy. 2008；63：5-34.
8) Sigurs N. Clinical perspectives on the association between respiratory syncytial virus and reactive airway disease. Respir Res. 2002；3：S8-14.
9) 吉原重美．乳幼児期の喘鳴症候群　Reactive airway disease (RAD)の臨床像．小児科．2009；50：93-102.

10) Yoshihara S, Kusuda S, Mochizuki H, et al. Effect of palivizumab prophylaxis on subsequent recurrent wheezing in preterm infants. Pediatrics. 2013 ; 132 : 811-8.
11) Mochizuki H, Kusuda S, Okada K, et al. Palivizumab Prophylaxis in Preterm Infants and Subsequent Recurrent Wheezing. Six-Year Follow-up Study. Am J Respir Crit Care Med. 2017 ; 196 : 29-38.
12) Guilbert TW, Mauger DT, Lemanske RF Jr. Childhood asthma-predictive phenotype. J Allergy Clin Immunol Pract. 2014 ; 2 : 664-70.
13) Fitzpatrick AM, Teague WG, Meyers DA, et al ; National Institutes of Health/National Heart, Lung, and Blood Institute Severe Asthma Research Program. Heterogeneity of severe asthma in childhood : confirmation by cluster analysis of children in the National Institutes of Health/National Heart, Lung, and Blood Institute Severe Asthma Research Program. J Allergy Clin Immunol. 2011 ; 127 : 382-9.
14) Fitzpatrick AM, Baena-Cagnani CE, Bacharier LB. Severe asthma in childhood : recent advances in phenotyping and pathogenesis. Curr Opin Allergy Clin Immunol. 2012 ; 12 : 193-201.
15) Fitzpatrick AM. Severe Asthma in Children : Lessons Learned and Future Directions. J Allergy Clin Immunol Pract. 2016 ; 4 : 11-9.
16) Grunwell JR, Gillespie, Morris CR, et al. Latent class analysis of school-age children at risk for asthma exacerbation. J Allergy Clin Immunol Pract. 2020 ; 8 : 2275–84.
17) Just J, Gouvis-Echraghi R, Rouve S, et al. Two novel, severe asthma phenotypes identified during childhood using a clustering approach. Eur Respir J. 2012 ; 40 : 55-60.
18) To M, Tsuzuki R, Katsube O, et al. Persistent asthma from childhood to adulthood presents a distinct phenotype of adult Asthma. J Allergy Clin Immunol Pract. 2020 ; 8 : 1921-7.

C　気道炎症とその免疫学的機序

ポイント

- 難治性喘息では高用量 ICS 投与下であっても，気道組織にマスト細胞，好酸球また ILC2 などの集積あるいは活性化所見がみられる。
- 喘息における好酸球性気道炎症の基本的な調節メカニズムは Th2 型免疫反応とその関連分子群の作用であるが，これは一般にコルチコステロイド反応性である。難治性喘息においては ILC2 由来の IL-5 などの寄与が大であると推定される。
- 難治性喘息では好中球性気道炎症を呈する一群があり，さらにその一部では好中球と好酸球の両顆粒球が混在して気道に集積する病態がみられる。

はじめに

難治性喘息では強力な治療にもかかわらず，喘息の基礎病態である気道の慢性炎症がしばしば高度に維持されている。すなわち，高用量の吸入ステロイド薬(inhaled corticosteroid：ICS)療法にもかかわらず，マスト細胞，各種のリンパ球，また好酸球などの気道への集積がみられることが再現性をもって報告されている(図1)。

マスト細胞の集積とその意義

喘息気道においてマスト細胞は気道上皮，粘膜下腺，平滑筋層などに浸潤する。難治性喘息の気道では，マスト細胞の増加あるいはその活性化所見が認められる。例えば，トリプターゼとカイメースが陽性を示す活性化型マスト細胞が増加している[1)]。高用量 ICS 投与中の喘息患者における，気道組織のシステイニル・ロイコトリエン(cysteinyl leukotriene：CysLT)合成酵素発現細胞はマスト細胞が最も多く，好酸球よりも検出頻度は高度である[2)]。また，特に気管支平滑筋層におけるマスト細胞出現比率は難治性喘息で高く，しかも気道過敏性との連関性を示す[3)]。マスト細胞が活性化すると，同細胞に固有のトリプターゼのほか，PGD_2，CysLTs，ヒスタミンなどのケミカルメディエーターや，またアンフィレギュリンなどが遊離されて気管支平滑筋の収縮，血管透過性亢進，粘液分泌亢進，気道リモデリング形成などの組織反応を惹起する。またマスト細胞は，IL-4，IL-13，TNF-α などのサイトカインを産生・分泌し，炎症病態の持続・進展にも関与する。近年はさらに，マスト細胞由来の PGD_2 を含む炎症性分子が，後述するグループ2自然リンパ球(group 2 innate lymphoid cell：ILC2)の集積あるいは機能発現に貢献しうることが指摘されている[4)5)]。難治性喘息でもその過半数は家塵ダニに代表される生活環境アレルゲンに感作されており[6)]，これらへの曝露，特にアレルゲンへの持続的曝露が，マスト細胞の活性化と機能発現に寄与すると推定される。アトピー型難治性喘息における抗 IgE 抗体の臨床的有効性は，このフェノタイプの難治性喘息におけるマスト細胞の意義を支持している。

好酸球性気道炎症の基本的成立機序とその意義

好酸球は喘息気道で最も顕著に観察される炎症性細胞であり，一般的に，ICS によってその気道への集積は軽

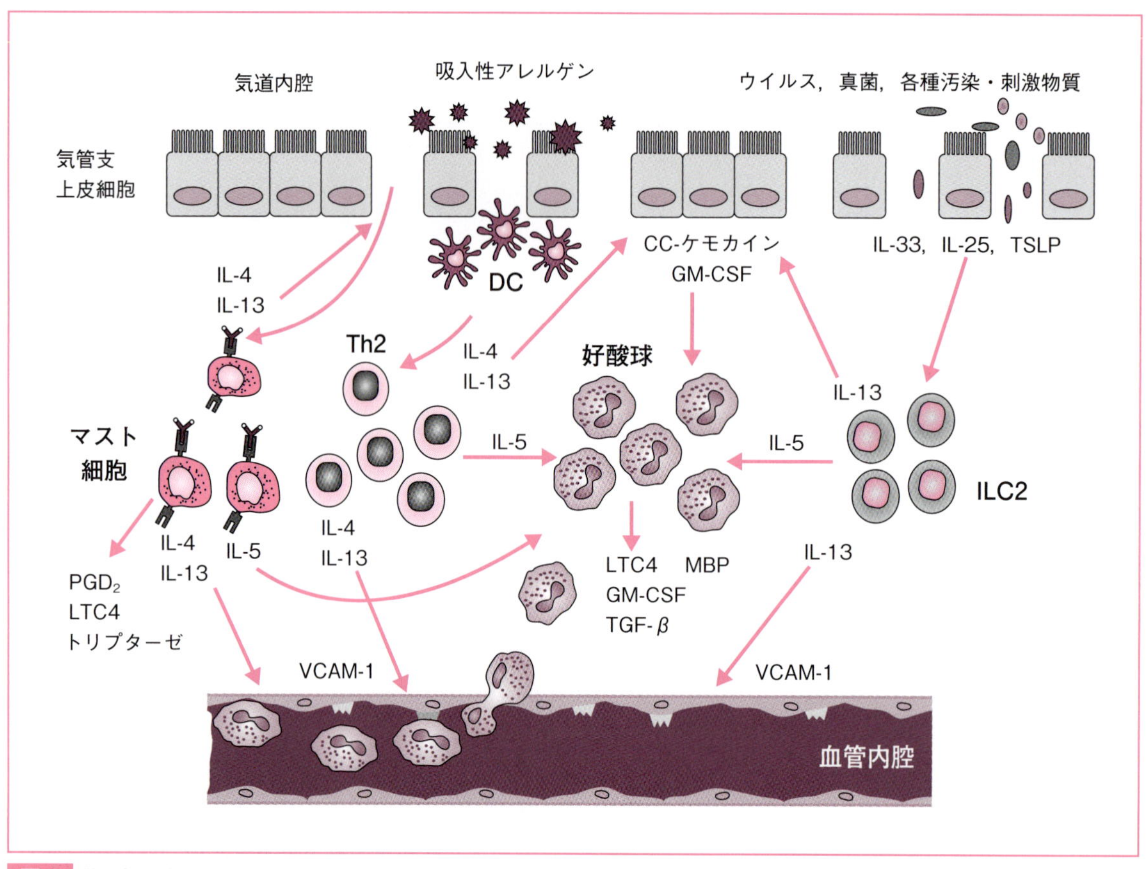

図 1　難治性喘息における 2 型炎症のメカニズム

減すると理解される。しかしながら，難治性喘息の気道では高用量ICS投与中であっても好酸球の集積がしばしばみられ，その程度が重症度と連関性を示す[7]。典型的なアトピー型喘息での好酸球集積の基本的径路は，2型免疫応答で特にTh2細胞を中心とした調節機構である(図 1)。活性化したTh2細胞から産生されるIL-4，IL-13は血管内皮細胞に作用し，選択的でかつ強力に好酸球接着を誘導するvascular cell adhesion molecule (VCAM)-1を発現させる。IL-4，IL-13はまた，気道上皮細胞などからeotaxinやRANTESなどのCC-ケモカイン群を産生させ，好酸球に構造的に発現するCCR3受容体を介して好酸球遊走を強力に誘導する。CC-ケモカインによる好酸球の血管内皮細胞間隙遊走はVCAM-1発現下で選択的に増強され，これらの分子群は好中球には作用しないため，選択的好酸球浸潤の一機序と理解される[8]。気道組織で好酸球はその成長因子IL-5あるいは特に自身も容易に産生するGM-CSFなどに曝露し，接着分子ICAM-1などとの相互作用などを介して活性化し，特異顆粒蛋白を放出し，CysLTsやTGF-βなどを産生する[9]。CysLTsは気流制限を発現させるのみならず，好酸球のさらなる組織集積を増幅する作用を有する。Major basic proteinに代表される好酸球特異顆粒蛋白は気道上皮を剥離させるなどして気道過敏性を亢進させ，またTGF-βは基底膜下層肥厚や平滑筋層肥厚などの気道リモデリング所見の形成に寄与する。

自然免疫系，特にILC2の関与

2型サイトカインはTh2細胞からのみならず，活性化したマスト細胞，CD8陽性T細胞，そして特にILC2からも産生される。ILC2は，真菌，ウイルス感染，家塵ダニなどがもつプロテアーゼなどにより気道上皮細胞が刺激・傷害を受けた際に放出するIL-33やIL-25，

TSLPの刺激によって活性化し，大量のIL-5やIL-13を産生する。難治性喘息の気道上皮ではIL-33やその受容体が高度に発現することが確認されている[10)11)]。また，全身ステロイド療法に依存性で喀痰中好酸球増多のある難治性喘息では，血中ならびに特に喀痰中のIL-5発現ILC2数が増加している[12)]。したがって，特にアレルゲン特異的IgE抗体が同定されない非アトピー性喘息での好酸球性気道炎症では，ILC2活性化の寄与が大であると推定される(図1)。ILC2はIL-33とTSLPの両者への共曝露によりステロイド抵抗性を獲得する[13)]。ステロイド抵抗性を獲得したILC2はIL-5などの供給源として高用量ICS投与下でも機能し続ける可能性がある。なお，ILC2にはCysLT受容体やCRTH2が発現していることから，マスト細胞あるいは好酸球由来のCysLTsやPGD_2が，その機能などに影響を及ぼしうる[4)14)]。

好酸球性気道炎症のほかの修飾因子

好酸球性炎症を持続せしめる重要な側副的機序に細胞外マトリックスタンパクとの相互作用がある。例えば，好酸球はフィブロネクチン，ラミニンやペリオスチンに接着できるが，フィブロネクチンとの接着は好酸球自身のGM-CSF産生を誘導して自己生存を延長する[15)]。また，ペリオスチンとの接着は好酸球の特異顆粒蛋白の放出や活性酸素産生などのエフェクター機能を誘導する[16)]。

なお，好酸球は抗炎症性メディエーターの産生能も有するが，そのなかでプロテクチンD1の産生能は，難治性喘息患者の好酸球では減弱していることが指摘されている[17)]。

難治性喘息における好中球性気道炎症

何割かの難治性喘息症例においては，非感染時でもしばしば気道に好中球の集積がみられる(図2)。さらに一部の症例では，好中球性・好酸球性炎症が共存する[6)18)]。好中球は前述のVCAM-1と反応できないため，血管内皮細胞間隙遊走過程においてはICAM-1との相互作用が重要である。TNF-αはICAM-1発現を増強させるが，難治性喘息気道ではその濃度増加が確認されている[19)]。日本人難治性喘息で，誘発喀痰中の好中球比率とTNF-α濃度が相関することも確認されている[20)]。これらは呼吸器系におけるTNF-α産生細胞，例えばマクロファージなどの関与を濃厚に示唆する。喘息気道での好中球遊走因子としてはIL-8が重要視される[21)]。難治性喘息では喀痰中IL-8濃度が上昇し，好中球比率と連関する[22)]。さらに難治性喘息気道では，IL-8の産生調節因子であるIL-17系分子のIL-17AやIL-17Fの増加が確認されている[23)]。難治性喘息患者の一部で増悪を反復しやすい血中IL-6高濃度群があるが，これは末梢血好中球増加と連関するとされ，IL-6によるTh17分化促進作用の関与が窺える[24)]。一方で気道ブラシからのIL-17関連遺伝子発現は慢性閉塞性肺疾患(chronic obstructive pulmonary disease：COPD)でみられるものとの報告もある[25)]。喘息でのTh17関連遺伝子の発現はマイクロバイオーム的解析で特定の微生物種，例えばProteobacteriaの検出と関連することなどが指摘されている[26)]。好中球性炎症を表現する喘息の過半数で，気管支肺胞洗浄液(bronchoalveolar lavage fluid：BALF)に*Haemophilus influenzae*などの病原微生物が検出されたとの報告もみられる[27)]。難治性喘息でこれらいわゆる非タイプ2病態を呈する患者の寝室には担子菌門の濃度が増加することなども指摘されており，環境要因の重要性が示唆される[28)]。難治性喘息患者では末梢血単核球レベルでもIL-17A産生亢進がみられるが，これはコルチコステロイドに抵抗性である[29)]。IL-17レベルの亢進がIL-8産生能を増強すると想定され，実際，難治性喘息患者の気道上皮細胞はIL-8産生能が著増している[30)]。気道上皮におけるIL-8産生の調節因子として，真菌関連物質や喫煙，環境中エンドトキシン(LPS)，また生体側のエンドタイプなどの関与が指摘されている。例えば，真菌由来のキチナーゼは気道上皮細胞からのIL-8産生を誘導する[31)]。また，ステロイド抵抗性喘息患者ではBALF中のLPS量が増加し，これはIL-8mRNA発現細胞数と相関する[32)]。ダニアレルギー喘息患者をICSで治療すると，ダニ単独吸入では好酸球性気道炎症が惹起されなくなるが，ダニとLPSを組み合わせて吸入させるとBALF中好酸球顆粒蛋白濃度が増加する[33)]。この機序の1つとして，LPS受容体であるTLR4は好酸球に存在しないが好中球には構造的に発現しており，LPS刺激を

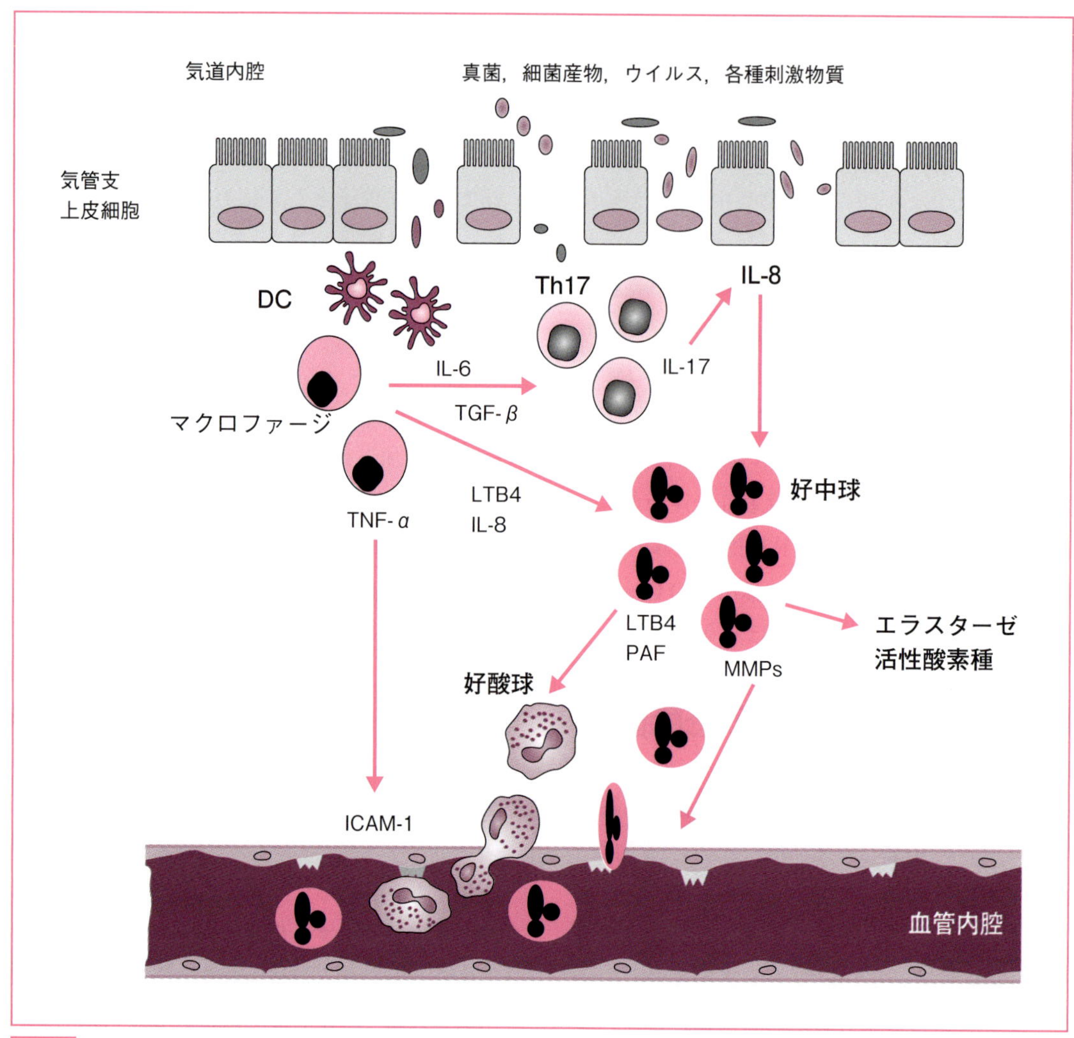

図2 難治性喘息でみられる好中球性気道炎症のメカニズム

受けた好中球が好酸球基底膜通過反応を誘導することが考えられる[34]。また，IL-8による好中球基底膜通過反応自体が，好中球由来のLTB4などの放出を介して共存する好酸球の基底膜通過遊走反応を誘導しうる[35]。すなわち，好中球が活性化することが，一定の環境下で好酸球集積を誘導しうると理解される。なお，難治性喘息患者の好中球は*in vivo* primingを受けていることが想定され，特に刺激を加えなくても好酸球基底膜通過反応を誘導できる[34]。生体側のエンドタイプがIL-8産生能の強弱に関与する可能性も指摘されており，例えばアレルゲン吸入後のBALF中IL-8濃度の増加にはグルタチオンSトランスフェラーゼM1タイプが寄与する[36]。

1型免疫系関与の可能性

その他，一部の難治性喘息ではIFN-γ産生細胞が増加し，IFN-γ産生量が気管支平滑筋層の肥厚と連関するなど，1型免疫反応の病態への関与が指摘されている[37)-39]。1型免疫反応活性化の代表的要因はウイルス感染であるが，慢性喘息気道では安定期でもしばしばRT-PCRでライノウイルスなどが持続的に検出され，これらの患者では血中あるいは気道での好中球・好酸球増加がみられるという[40,41]。この機序と関連して，1型免疫系分子であるIFN群は，血管内皮細胞のVCAM-1発現増強作用を介してその好酸球接着能を増強する[42]。また，IFN群の下流分子でCXCR3リガンドに属するケモカイン IP-10 は，好酸球に直接的に作用して接着や遊走反応を誘導できる[43]。これらと関連し，慢性持続型喘息の喀痰中 IP-10 濃度は，喀痰中の好酸球・好中球の総和と相関する[44]。そして，喘息気道における IP-10 産生はステロイド療法に反応しないようである[45]。ライノウイルス C のリガンドである Cadherin-related family member 3 は，好酸球の接着あるいはエフェクター機能の発現を誘導する[46]。これらウイルス感染関連分子を含む 1 型免疫反応系は，一部の難治性喘息で炎症病態に関与すると推定されるが，その臨床的意義について未確立な部分も多い。

文献

1）Balzar S, Fajt ML, Comhair SA, et al. Mast cell phenotype, location, and activation in severe asthma. Data from the Severe Asthma Research Program. Am J Respir Crit Care Med. 2011；183：299-309.

2）Cai Y, Bjermer L, Halstensen TS, et al. Bronchial mast cells are the dominating LTC4S-expressing cells in aspirin-tolerant asthma. Am J Respir Cell Mol Biol. 2003；29：683-93.

3）Siddiqui S, Mistry V, Doe C, et al. Airway hyperresponsiveness is dissociated from airway wall structural remodeling. J Allergy Clin Immunol. 2008；122：335-41.

4）Winkler C, Hochdörfer T, Israelsson E, et al. Activation of group 2 innate lymphoid cells after allergen challenge in asthmatic patients. J Allergy Clin Immunol. 2019；144：61-9.

5）Toyoshima S, Sakamoto-Sasaki T, Kurosawa Y, et al. miR103a-3p in extracellular vesicles from FcεRI-aggregated human mast cells enhances IL-5 production by group 2 innate lymphoid cells. J Allergy Clin Immunol. 2021；147：1878-91.

6）The ENFUMOSA Study Group. The ENFUMOSA cross-sectional European multisentre study of the clinical phenotype of chronic severe asthma. Eur Respir J. 2003；22：470-7.

7）Louis R, Lau LC, Bron AO, et al. The relationship between airways inflammation and asthma severity. Am J Respir Crit Care Med. 2000；161：9-16.

8）Yamamoto H, Nagata M, Sakamoto Y. C-C chemokines and transmigration of eosinophils in the presence of VCAM-1. Ann Allergy Asthma Immunol. 2005；94：292-300.

9）Sedgwick JB, Nagata M. Mechanism of Eosinophil Activation. In：Busse WW, Holgate ST, editors. In Asthma and Rhinitis. Boston：Blackwell Scientific；2000. pp.373-93.

10）Traister RS, Uvalle CE, Hawkins GA, et al. Phenotypic and genotypic association of epithelial IL1RL1 to human TH2-like asthma. J Allergy Clin Immunol. 2015；135：92-9.

11）Préfontaine D, Nadigel J, Chouiali F, et al. Increased IL-33 expression by epithelial cells in bronchial asthma. J Allergy Clin Immunol. 2010；125：752-4.

12）Smith SG, Chen R, Kjarsgaard M, et al. Increased numbers of activated group 2 innate lymphoid cells in the airways of patients with severe asthma and persistent airway eosinophilia. J Allergy Clin Immunol. 2016；137：75-86.

13）Kabata H, Moro K, Fukunaga K, et al. Thymic stromal lymphopoietin induces corticosteroid resistance in natural helper cells during airway inflammation. Nat Commun. 2013；4：2675.

14）Doherty TA, Broide DH. Lipid regulation of group 2 innate lymphoid cell function：Moving beyond epithelial cytokines. J Allergy Clin Immunol. 2018；141：1587-9.

15）Anwar AR, Moqbel R, Walsh GM, et al. Adhesion to fibronectin prolongs eosinophil survival. J Exp Med. 1993；177：839-43.

16）Noguchi T, Nakagome K, Kobayashi T, et al. Periostin upregulates the effector functions of eosinophils. J Allergy Clin Immunol. 2016；138：1449-52.

17）Miyata J, Fukunaga K, Iwamoto R, et al. Dysregulated synthesis of protectin D1 in eosinophils from patients with severe asthma. J Allergy Clin Immunol. 2013；131：353-60.

18）Wenzel SE, Schwartz LB, Langmack EL, et al. Evidence that severe asthma can be divided pathologically into two inflammatory subtypes with distinct physiologic and clinical characteristics. Am J Respir Crit Care Med. 1999；160：1001-8.

19）Berry MA, Hargadon B, Shelley M, et al. Evidence of a role of tumor necrosis factor alpha in refractory asthma. N Engl J Med. 2006；354：697-708.

20）Kikuchi S, Kikuchi I, Hagiwara K, et al. Association of tumor necrosis factor-α and neutrophilic infiammation in severe asthma. Allergol lnt. 2005；54：621-5.

21）Gibson PG, Simpson JL, Saltos N. Heterogeneity of airway inflammation in persistent asthma：evidence of neutrophilic inflammation and increased sputum interleukin-8. Chest. 2001；119：1329-36.

22）Kikuchi S, Kikuchi I, Takaku Y, et al. Neutrophilic inflammation and CXC chemokines in patients with refractory asthma. Int Arch Allergy lmmunol. 2009；149：87-93.

23）Al-Ramli W, Préfontaine D, Chouiali F, et al. T(H)17-associated cytokines(IL-17A and IL-17F)in severe asthma. J Allergy Clin Immunol. 2009；123：1185-7.

24）Li X, Hastie AT, Peters MC, et al. Investigation of the relationship between IL-6 and type 2 biomarkers in patients with severe asthma.J Allergy Clin Immunol. 2020；145：430-3.

25）Christenson SA, van den Berge M, Faiz A, et al. An airway epithelial IL-17A response signature identifies a steroid-unresponsive COPD patient subgroup. J Clin Invest. 2019；129：169-81.

26) Huang YJ, Nariya S, Harris JM, et al. The airway microbiome in patients with severe asthma : Associations with disease features and severity. J Allergy Clin Immunol. 2015 ; 136 : 874-84.
27) Liu W, Liu S, Verma M, et al. Mechanisms of TH2/TH17-predominant and neutrophilic TH2/TH17-low subtypes of asthma. J Allergy Clin Immunol. 2017 ; 139 : 1548-58.
28) Vandenborght LE, Enaud R, Urien C, et al. Type 2-high asthma is associated with a specific indoor mycobiome and microbiome. J Allergy Clin Immunol. 2021 ; 147 : 1296-305.
29) Nanzer AM, Chambers ES, Ryanna K, et al. Enhanced production of IL-17A in patients with severe asthma is inhibited by 1α, 25-dihydroxyvitamin D3 in a glucocorticoid-independent fashion. J Allergy Clin Immunol. 2013 ; 132 : 297-304.
30) Gras D, Bourdin A, Vachier I, et al. An ex vivo model of severe asthma using reconstituted human bronchial epithelium. J Allergy Clin Immunol. 2012 ; 129 : 1259-66.
31) Hong JH, Hong JY, Park B, et al. Chitinase activates protease-activated receptor-2 in human airway epithelial cells. Am J Respir Cell Mol Biol. 2008 ; 39 : 530-5.
32) Goleva E, Hauk P, Hall C, et al. Corticosteroid-resistant asthma is associated with classical antimicrobial activation of airway macrophages. J Allergy Clin Immunol. 2008 ; 122 : 550-9.
33) Berger M, de Boer JD, Bresser P, et al. Lipopolysaccharide amplifies eosinophilic inflammation after segmental challenge with house dust mite in asthmatics. Allergy. 2015 ; 70 : 257-64.
34) Nishihara F, Nakagome K, Kobayashi T, et al. Trans-basement membrane migration of eosinophils induced by LPS-stimulated neutrophils from human peripheral blood in vitro. ERJ Open Res. 2015 ; 1 : 3.
35) Kikuchi I, Kikuchi S, Kobayashi T, et al. Eosinophil trans-basement membrane migration induced by interleukin-8 and neutrophils. Am J Respir Cell Mol Biol. 2006 ; 34 : 760-5.
36) Hoskins A, Reiss S, Wu P, et al. Asthmatic airway neutrophilia after allergen challenge is associated with the glutathione S-transferase M1 genotype. Am J Respir Crit Care Med. 2013 ; 187 : 34-41.
37) Shannon J, Ernst P, Yamauchi Y, et al. Differences in airway cytokine profile in severe asthma compared to moderate asthma. Chest. 2008 ; 133 : 420-6.
38) Kaminska M, Foley S, Maghni K, et al. Airway remodeling in subjects with severe asthma with or without chronic persistent airflow obstruction. J Allergy Clin Immunol. 2009 ; 124 : 45-51.
39) Raundhal M, Morse C, Khare A, et al. High IFN-γ and low SLPI mark severe asthma in mice and humans. J Clin Invest. 2015 ; 125 : 3037-50.
40) Wos M, Sanak M, Soja J, et al. The presence of rhinovirus in lower airways of patients with bronchial asthma. Am J Respir Crit Care Med. 2008 ; 177 : 1082-9.
41) Teague WG, Lawrence MG, Shirley DT, et al. Lung Lavage Granulocyte Patterns and Clinical Phenotypes in Children with Severe, Therapy-Resistant Asthma. J Allergy Clin Immunol Pract. 2019 ; 7 : 1803-12.
42) Kobayashi T, Takaku Y, Yokote A, et al. Interferon-beta augments eosinophil adhesion-inducing activity of endothelial cells. Eur Respir J. 2008 ; 32 : 1540-7.
43) Takaku Y, Nakagome K, Kobayashi T, et al. IFN-γ-inducible protein of 10 kDa upregulates the effector functions of eosinophils through β2 integrin and CXCR3. Respir Res. 2011 ; 12 : 138.
44) Takaku Y, Soma T, Uchida Y, et al. CXC chemokine superfamily induced by Interferon-γ in asthma : a cross-sectional observational study. Asthma Res Pract. 2016 ; 2 : 6.
45) Matsunaga K, Ichikawa T, Yanagisawa S, et al. Clinical application of exhaled breath condensate analysis in asthma : prediction of FEV1 improvement by steroid therapy. Respiration. 2009 ; 78 : 393-8.
46) Nakagome K, Shimizu T, Bochkov YA, et al. Cadherin-related family member 3 upregulates the effector functions of eosinophils. Allergy. 2020 ; 75 : 1805-9.

D　気道構造の特徴

ポイント

- 主たる病態として気道炎症が認められる。
- 気道には好酸球，リンパ球を中心とした炎症細胞浸潤が認められるが，近年難治性喘息に自然リンパ球や好中球の関与が示されている。
- 上記に加え，気道上皮剥離，粘膜および粘膜下浮腫，血管拡張がみられる。また，杯細胞増生，粘膜下腺過形成，平滑筋肥大，上皮下線維増生など気道リモデリングも認められる。

喘息の主たる病態として，気道炎症が認められる[1)2)]。気道には，好酸球，リンパ球，マスト細胞，好塩基球，好中球などの炎症細胞浸潤が認められる。それら炎症細胞浸潤とともに，気道上皮剥離，粘膜および粘膜下浮腫，血管拡張がみられる。また，杯細胞増生，粘膜下腺過形成，平滑筋肥大，上皮下線維増生など気道リモデリングも認められる[3)4)]。これらの病理所見は，炎症に関連する細胞から遊離される炎症性メディエーターやサイトカインの直接作用，あるいはほかの細胞を介した作用で生じるとされる[1)]。なお，基底膜部の肥厚はリモデリングを示す喘息の特徴的な病理所見として考えられてきた。しかし，電子顕微鏡による研究により，基底膜直下の網状層にⅠ型，Ⅲ型，Ⅴ型コラーゲンとフィブロネクチンによる結合組織が沈着して基底膜が肥厚したようにみえることが示され，実際には基底膜の肥厚ではなく，上皮下線維増生と呼ぶのが適切であるとされる[5)]。

気管支鏡下生検検体による検討で，重症(難治性)喘息患者では軽症喘息および慢性閉塞性肺疾患(chronic obstructive pulmonary disease：COPD)患者と比較して基底膜層の肥厚が認められ，その肥厚度は1秒量(FEV_1)と有意な負の相関関係にあることが示された[6)]。また，軽症および中等症喘息患者との比較では，上皮の肥厚および上皮細胞増生，上皮下線維増生が認められる[7)]。免疫組織学的染色により上皮成長因子受容体(epidermal growth factor receptor：EGFR)発現割合の高い症例で上皮下線維増生が強いことを示す報告もあり[8)]，気道上皮のリモデリングへの関与が指摘されている。

炎症細胞については，近年喘息難治化にリンパ球の関与が重要視され，特にグループ2自然リンパ球(group 2 innate lymphoid cell：ILC2)が中核となる細胞である[1)9)]。ウイルス，真菌，汚染・刺激物質などの刺激で気道上皮が障害を受けると，IL-33，IL-25，TSLPが放出され，ILC2が刺激される。ILC2は多量の2型サイトカイン，特にIL-5，IL-13を産生し，好酸球を介した2型炎症の悪化に関与する。

また，難治性喘息患者では，好中球，マスト細胞の病態への関与が報告されている[10)]。特に好中球の難治性喘息への関与が指摘されており[11)]，吸入ステロイド抵抗性の観点からも重要性が増している。別項でも記載されているが，SARP研究におけるクラスター解析でも難治性喘息と好中球の関与が示されている(第3章-B-1：p.15参照)[12)]。

気道リモデリングにおける気道平滑筋に関しては，生検組織の検討で気道収縮に関与するmyosin light chain kinase(MLCK)の気道平滑筋での発現が難治性喘息患者で強く，気道平滑筋細胞の肥大が強くみられた[13)]。これらは，FEV_1と有意に負の相関を示し，気流制限との関連性が示唆される。

近年の画像診断技術の発展に伴い，非侵襲的な気道の形態計測が可能となり，またほかの呼吸器疾患，心疾患などとの鑑別診断のため胸部高分解能CT(high resolution CT：HRCT)は有用である。成人喘息においては，HRCTにより気道壁の肥厚を指摘することができるようになったが[14]，機能的な変化については明らかにすることができなかった。しかし近年，機能的MRIを用いて呼吸機能解析の可能性が示されており，喘息治療後の機能変化が報告されている[15]。

文献

1) 一般社団法人日本アレルギー学会喘息ガイドライン専門部会(監).「喘息予防・管理ガイドライン2021」作成委員．喘息予防・管理ガイドライン2021．東京：協和企画；2021.
2) Global Initiative for Asthma(GINA). 2021 GINA Report, Global Strategy for Asthma Management and Prevention. https://ginasthma.org/wp-content/uploads/2021/05/GINA-Main-Report-2021-V2-WMS.pdf
3) Dunnill MS. The pathology of asthma, with special reference to changes in the bronchial mucosa. J Clin Pathol. 1960；13：27-33.
4) Bousquet J, Chanez P, Lacoste JY, et al. Eosinophilic inflammation in asthma. N Engl J Med. 1990；323：1033-9.
5) Roche WR, Beasley R, Williams JH, et al. Subepithelial fibrosis in the bronchi of asthmatics. Lancet. 1989；1：520-4.
6) Bourdin A, Neveu D, Vachier I, et al. Specificity of basement membrane thickening in severe asthma. J Allergy Clin Immunol. 2007；119：1367-74.
7) Cohen L, Xueping E, Tarsi J, et al. Epithelial cell proliferation contributes to airway remodeling in severe asthma. Am J Respir Crit Care Med. 2007；176：138-45.
8) Fedorov IA, Wilson SJ, Davies DE, et al. Epithelial stress and structural remodelling in childhood asthma. Thorax. 2005；60：389-94.
9) Akdis CA, Arkwright PD, Brüggen MC, et al. Type 2 immunity in the skin and lungs. Allergy. 2020；75：1582-605.
10) Louis R, Lau LC, Bron AO, et al. The relationship between airways inflammation and asthma severity. Am J Respir Crit Care Med. 2000；161：9-16.
11) Shaw DE, Sousa AR, Fowler SJ, et al. Clinical and inflammatory characteristics of the European U-BIOPRED adult severe asthma cohort. Eur Respir J. 2015；46：1308-21.
12) Moore WC, Hastie AT, Li X, et al. Sputum neutrophil counts are associated with more severe asthma phenotypes using cluster analysis. J Allergy Clin Immunol. 2014；133：1557-63.
13) Benayoun L, Druilhe A, Dombret MC, et al. Airway structural alterations selectively associated with severe asthma. Am J Respir Crit Care Med. 2003；167：1360-8.
14) Gupta S, Siddiqui S, Haldar P, et al. Qualitative analysis of high-resolution CT scans in severe asthma. Chest. 2009；136：1521-8.
15) Mussell GT, Marshall H, Smith LJ, et al. Xenon ventilation MRI in difficult asthma：initial experience in a clinical setting. ERJ Open Res. 2021；7：00785-2020.

E　生理学的特徴(呼吸機能)

ポイント

- 気流制限［気管支拡張薬中止後の%FEV_1が80%未満(FEV_1/FVC 正常下限未満)］があり，気管支拡張薬やICSなど抗炎症薬に対する反応性が低下した群が認められる。
- 固定した高度の気流制限により，呼吸機能の日間変動が少なくなっていることがある。
- 経年的なFEV_1の急速低下群があり，遷延性好酸球性炎症を呈するクラスターではペリオスチンの血清高値例でFEV_1の急速低下が認められた。

『重症喘息―定義，評価，治療に関するERS/ATSガイドライン』によれば，十分な喘息治療を施した後にも，1つでも該当すれば「コントロール不良」喘息と定義する項目のなかに，気流制限［気管支拡張薬中止後の対標準1秒量(%FEV_1)が80%未満(FEV_1/FVC 正常下限未満)］がある[1]。また，難治性喘息患者の一部のフェノタイプとして，気管支拡張薬や吸入ステロイド薬(inhaled corticosteroid：ICS)など抗炎症薬に対する反応性が低下した群が認められる[2]。難治性喘息では1秒率(FEV_1/FVC)に対して努力肺活量(FVC)が高度に低下している，すなわちエアートラッピングが認められることが示されており[3]，気管支拡張薬によってFVCに改善が認められたことから，難治性喘息患者のエアートラッピングには平滑筋の関与が示唆される。喘息では，呼吸機能の変動がしばしば認められるが，難治性患者では，呼吸機能の日間変動が少なくなっている[4]。このことは，難治性喘息では気道開存性のすみやかな変化よりも，より固定した高度の気流制限の現れを示している可能性がある。

経年的な呼吸機能の変化に関する検討も行われている。日本人224名を対象とした平均8年間にわたる経過を観察した研究では，中等症～重症(難治性)喘息のなかに，高齢発症で症状に乏しいが，遷延性好酸球性炎症を呈するクラスターとコントロール不良で好中球性炎症および全身性炎症があり，気流制限が強いクラスターが認められ，いずれも1秒量(FEV_1)の急速低下群を多く含んでいた[5][6]。遷延性好酸球性炎症を呈するクラスターではペリオスチンの血清高値例でFEV_1の急速低下があり，バイオマーカーによる気道リモデリングの推定が期待される。

文献

1) Chung KF, Wenzel SE, Brozek JL, et al. International ERS/ATS guidelines on definition, evaluation and treatment of severe asthma. Eur Respir J. 2014；43：343-73.
2) The ENFUMOSA Study Group. The ENFUMOSA cross-sectional European multicentre study of the clinical phenotype of chronic severe asthma. Eur Respir J. 2003；22：470-7.
3) Sorkness RL, Bleecker ER, Busse WW, et al. Lung function in adults with stable but severe asthma：air trapping and incomplete reversal of obstruction with bronchodilation. J Appl Physiol. 2008；104：394-403.
4) Thamrin C, Nydegger R, Stern G, et al. Associations between fluctuations in lung function and asthma control in two populations with differing asthma severity. Thorax. 2011；66：1036-42.
5) Kanemitsu Y, Matsumoto H, Mishima M, et al. Factors contributing to an accelerated decline in pulmonary function in asthma. Allergol Int. 2014；63：181-8.
6) Nagasaki T, Matsumoto H, Kanemitsu Y, et al. Integrating longitudinal information on pulmonary function and inflammation using asthma phenotypes. J Allergy Clin Immunol. 2014；133：1474-7.

第４章

難治性喘息鑑別のための評価

A 判定基準／フローチャート

1 小児

ポイント

- 小児難治性喘息とは，治療ステップ4，すなわち重症持続型の基本治療を行っても良好なコントロールを得られない状態である。
- 喘息の難治化を防ぐためには，末梢血好酸球数，血清総IgE値，FeNOなどの2型バイオマーカーや，気道炎症の評価と気流制限の確認ができる呼吸機能検査によるフォローアップが重要である。
- 難治性喘息を予防するためには，薬物療法，患者教育，環境調整の見直しが必要である。
- 気道リモデリングの進行阻止および医療経済，費用効果比の観点から，生物学的製剤を適切なタイミングで導入することが重要である。

概　念

図1に小児難治性喘息の概念を示す[1]。治療ステップ4の基本治療を行っても良好なコントロールが得られない患者が存在する。これらの患者群から，声帯機能障害(vocal cord dysfunction：VCD)や気道異物，先天性の気道狭窄などによる症状を喘息と誤診している例を除外する。次に，治療アドヒアランス不良や不適切な吸入手技，アレルゲンや受動喫煙からの回避困難，肥満，アレルギー性鼻炎や副鼻腔炎の合併，発達・心理・精神的問題などのコントロール状態を不良にする要因を見極めて対策を講じること，すなわち，個別的な医療介入によってもコントロールが維持できない喘息を難治性喘息と定義する。

注意点

小児期に生じやすい特有の問題が重なり，急性増悪(発作)の遷延化や重症化，なかには難治化や喘息死につながる場合もある。その注意点を下記に記載する。

1. 本人・家族の課題・問題点

①受診頻度：多忙(学業，課外活動)であることを理由として本人の医療機関の受診回数が減少したり，受診を中断したりすることが，緊急受診が増すリスクファクターになると指摘されている[2]。

②喘息重症度の判断の誤り，呼吸困難感の認識不足：運動誘発喘息があるにもかかわらず，呼吸困難感の認識不足などから，本人は喘息が治っていると思っている者がいると指摘されている[3)4]。

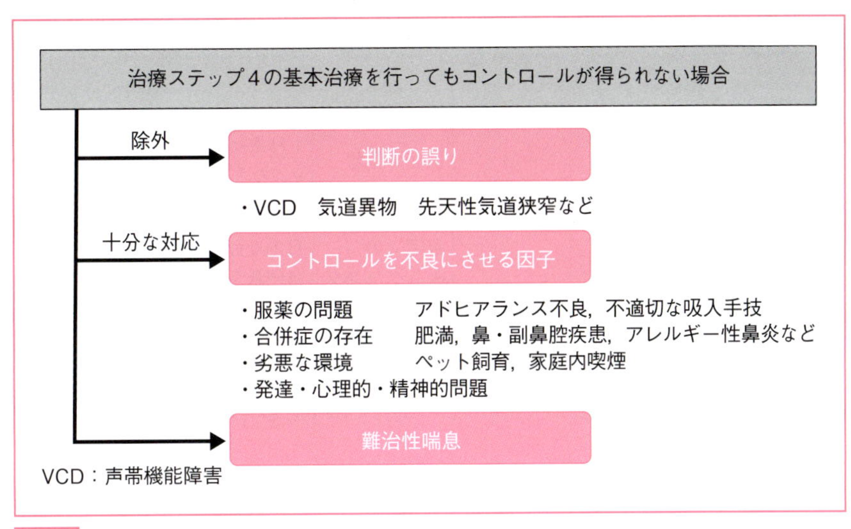

図1 小児難治性喘息の概念

（文献1より引用改変）

2. 医療機関の課題・問題点

患者自身が急性増悪を起こさないために日常生活をコントロールすることで症状が誘発されないため，患者のみならず医療機関でも過小評価し不適切な薬剤選択にならないように注意する。このような過小治療が継続する場合，疲労や気道ウイルス感染により，喘息が増悪し気道攣縮を起こすばかりでなく，リモデリングの所見が明らかになってくるため，過小治療にならないように，リスクとベネフィットをよく説明したうえで，日頃より十分な抗炎症治療をすることが大切である[5]。

3. 心理的問題・発達障害

罹患期間が長くなり，慣れと焦りがみられやすい。心理的問題を抱えることがある。また，喘息児は発達障害が多いという報告[6]や，発達障害が思春期になって初めて指摘されることもあり，難治化している場合は発達障害を考慮することも必要である。

検　査

喘息の初診時（または診断時）に行う検査としては，呼吸生理学的検査ではフローボリューム曲線，気道可逆性試験，血液検査では血清総IgE値，末梢血好酸球数，吸入アレルゲンに対する特異的IgE抗体価の測定，皮膚テストとしてプリックテストなどがある。それぞれの特徴的な所見をいくつか組み合わせると，喘息の診断や重症度の判定に役立つ（表1）。次に，治療開始後のフォローアップでは，フローボリューム曲線を定期的に評価して，自己管理としてのPEFモニタリングを指導する。呼気中一酸化窒素濃度（fraction of exhaled nitric oxide：FeNO）は気道炎症のマーカーとして，診断や治療効果の判定，評価に有用である。強制オシレーション法（FOT）もスパイロメトリーと異なる側面の評価が可能である。末梢血好酸球数や喀痰中好酸球比率も可能であれば測定する（表1）。

環境因子

喘息は個体因子と環境因子が絡み合って発症する。個々の患者での増悪にかかわる危険因子を明らかにして，それらに対する対策を講じることが重要となる。喘息の増悪にかかわる環境因子（表2）を明らかにして調整することは，喘息の難治化を阻止するうえで，薬物療法，患者教育と並んで喘息治療・管理の大きな柱の1つである。

治療反応・アドヒアランス

1. 治療ステップ4の追加治療

5歳以下では高用量吸入ステロイド薬（inhaled

表 1　喘息の診断・モニタリングのための検査と主な判定基準

分類	検査項目	診断時	フォロー中	判定基準
症状	質問票	○	毎回の受診	
生理検査	フローボリューム曲線	○	毎回の受診	1 秒率＜80%，%予測 1 秒量＜80% $\dot{V}_{50}$ ならびに $\dot{V}_{25}$ の低値
	可逆性試験	○	数か月に 1 回	FEV_1 改善＞12%
	PEF		自宅でのモニタリング	日内変動＞20% 自己最良値より 20%低下
	FeNO	可能なら	可能なら	＞35ppb*1
	運動負荷試験	可能なら	可能なら	1 秒量最大低下率＞15%
検体検査	血清総 IgE 値	○		高値
	末梢血好酸球数	○	○	＞300/μL*1
	特異的 IgE 抗体価			
	ダニ	全例		
	ペット，真菌，花粉など	症例により		
	喀痰中好酸球検査	可能なら	可能なら	＞5%*1

＊1：明確なカットオフ値はないので参考値，急性増悪(発作)時は低値

(文献 1 より引用)

表 2　喘息の危険因子

1. 喘息発症にかかわる個体因子
   - ①家族歴と性差
   - ②素因
     - A)アレルギー素因
     - B)気道過敏性
     - C)早産児や低出生体重児，肥満
   - ③遺伝子
2. 喘息発症・増悪にかかわる環境因子
   - ①アレルゲン
   - ②呼吸器感染症
     - A)ウイルス
     - B)肺炎マイコプラズマ，肺炎クラミジア，百日咳菌など
   - ③室内空気・大気汚染物質
     - A)受動喫煙・能動喫煙
     - B)PM2.5
     - C)その他の大気汚染物質（煙，自動車の排気ガス，臭気）
     - D)マイクロバイオーム
   - ④その他の因子
     - A)気象
     - B)運動と過換気
     - C)栄養
     - D)心因
     - E)薬物
     - F)月経
     - G)抗菌薬
     - H)母体への薬物投与

(文献 1 より引用)

corticosteroid：ICS)に貼付 β_2 刺激薬の併用もしくはICS のさらなる増量，6 歳以上であれば，ICS のさらなる増量もしくは高用量 ICS/長時間作用性 β_2 刺激薬(long-acting β_2 agonist：LABA)[サルメテロール／フルチカゾン(SFC)あるいはホルモテロール／フルチカゾン(FFC)][中用量 ICS＋中用量 ICS/LABA の併用，あるいは SFC 250μg 製剤や FFC 125μg 製剤(小児適応はない)] を検討する。ただし，ICS は高用量で全身性の副作用や身長抑制を認める可能性があるため，高用量 ICS の長期間使用は望ましくない。よって，6 歳以上で前述の治療追加でもコントロール状態の改善が乏しい場合は，表 3 に示すように，生物学的製剤の投与が有効である。抗 IgE 抗体(オマリズマブ)使用に際しては，血中 IgE 値など適用の条件がいくつかあるので注意する。それ以外に，抗 IL-5 抗体であるメポリズマブも 6 歳以上の適応である。また，抗 IL-4/IL-13 受容体抗体であるデュピルマブと抗 TSLP 抗体であるテゼペルマブは 12 歳以上で保険適応がある。図 2 に示すように，小児難治性喘息でも気道リモデリングが進行する前に，治療ステップ 4 の追加治療として早期に生物学的製剤を

表3 生物学的製剤の対象年齢，用量・用法

	抗 IgE 抗体（オマリズマブ）	抗 IL-5 抗体（メポリズマブ）	抗 IL-4/IL-13 受容体抗体（デュピルマブ）	抗 TSLP 抗体（テゼペルマブ）
商品名	ゾレア	ヌーカラ	デュピクセント	テゼスパイア
対象年齢	6 歳以上	6 歳以上	12 歳以上	12 歳以上
用量・用法	体重，血清総 IgE 濃度に応じて変化（1 回 75 ～ 600mg）2 ～ 4 週間毎に皮下注射	6 歳以上 12 歳未満：1 回 40mg 12 歳以上：1 回 100mg 4 週間毎に皮下注射	初回 600mg，2 回目以降 300mg を 2 週間毎に皮下注射	1 回 210mg を 4 週間毎に皮下注射

（文献 1 より引用改変）

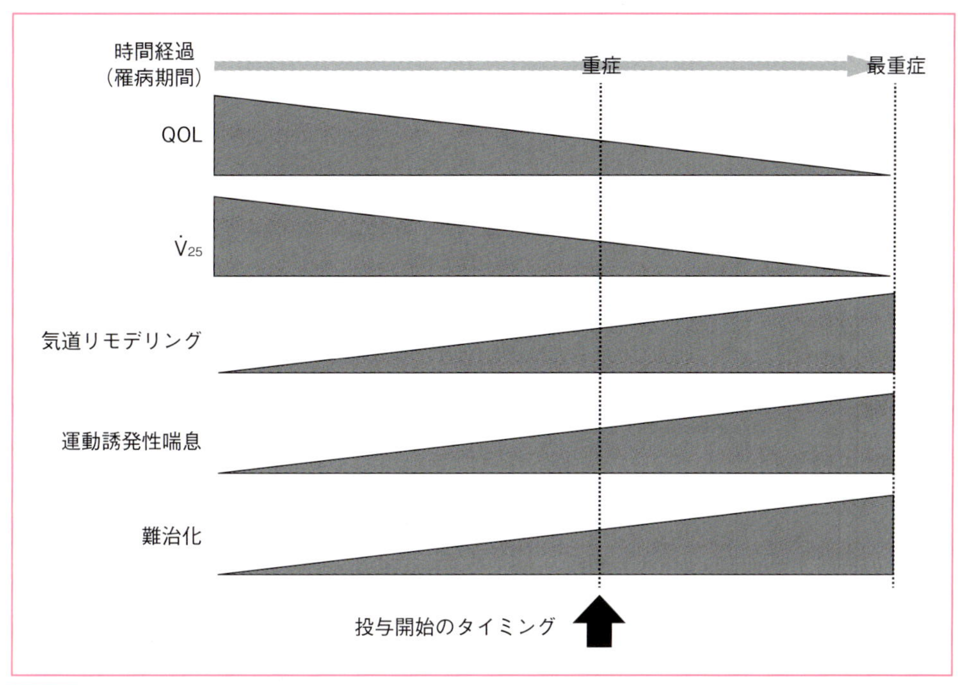

図2 生物学的製剤投与開始のタイミング

（文献 7 より引用）

併用することが重要と考えている[7]。また，米国でオマリズマブの費用対効果に関する成績が報告されている[8]。12 ～ 75 歳を対象とした 3,583 名の検討で，オマリズマブの追加治療における費用対効果が認められている。

また，環境因子・養育環境の問題などの危険因子があってコントロール状態の改善が見込めない場合には，長期入院療法も検討する。生物学的製剤，長期入院療法などが必要な患者は喘息の小児慢性特定疾病の対象となる。前述の治療でもコントロール状態が得られない場合には全身性ステロイド薬の隔日投与なども考慮する。このような最重症（難治性）患者は小児喘息に精通した医師のもとで治療すべきである。

2. 長期入院療法

かつては，療養型の入院施設に長期入院しながら疾患教育や生活指導を行い，併設の特別支援学級や院内学級への通学で教育を受ける長期入院療法が広く行われていた。身体的・精神的な成長を促すとともに，地域の教育・行政・福祉など関連諸機関と連携して問題を克服し，自宅への復帰を目指すのが目的である。しかし，薬物治療の進歩などによって，多くの患者が外来治療で症状のコントロールが可能となり長期入院療法の適応となる患者が激減し，現在は実施可能な施設は限定されている。一方，心理社会的問題・医療ネグレクトなどの社会的な背景が原因となって環境整備や定期通院などが困難となる喘息児が少数ながら認められ，長期に入院加療を必要とする場合がある。サマースクールや喘息キャンプ[9]など，長期入院療法のエッセンスを短期間に圧縮して実施している施設もある。

● 文献

1）足立雄一，滝沢琢己，二村昌樹，他(監)．一般社団法人日本小児アレルギー学会．小児気管支喘息治療・管理ガイドライン2020．東京：協和企画；2020.

2）Lozano P, Connell FA, Koepsell TD. Use of health services by African-American children with asthma on Medicaid. JAMA. 1995；274：469-73.

3）Murakami Y, Honjo S, Odajima H, et al. Exercise-induced wheezing among Japanese pre-school children and pupils. Allergol Int. 2014；63：251-9.

4）Motomura C, Odajima H, Tezuka J, et al. Perception of dyspnea during acetylsholine-induced bronchoconstriction in asthmatic children. Ann Allergy Asthma Immnunol. 2009；102：121-4.

5）Kelly HW, Sternberg AL, Lescher R, et al. Effect of inhaled glucocorticoids in childhood on adult height. N Engl J Med. 2012；367：904-12.

6）花村香葉，大和謙二，末廣 豊，他．広汎性発達障害児の喘息治療への心理的側面と，そのサポート．日小児難治喘息・アレルギー会誌．2014；12：15-9.

7）吉原重美，宮本 学．5．生物学的製剤 overview 4)小児喘息における活用．Progress in Medicine．2020；40：377-82.

8）Sullivan PW, Li Q, Bilir SP, et al. Cost-effectiveness of omalizumab for the treatment of moderate-to-severe uncontrolled allergic asthma in the United States. Curr Med Res Opin. 2020；36：23-32.

9）吉原重美．喘息児サマーキャンプ療法の有用性について．日小児難治喘息・アレルギー会誌．2012；10：21-2.

A　判定基準／フローチャート

2　思春期

ポイント

- 思春期から青年期は，小児喘息が軽快するといわれる一方で，難治化例や死亡例が認められるため，治療・管理をするうえで注意を要する。
- 難治化する原因として，アレルゲン，肥満，月経，合併症，喫煙，アルコールなどの悪化因子の増加が考えられる。
- 移行期医療を意識して，患者が自己決定できるように患者－医師関係を組み直す必要がある。
- 小児喘息の予後をよくするために，早期からの呼吸機能の正常化を目指す必要がある。

概　念

思春期から青年期は，小児が肉体的にも精神的にも成人へと大きく変化する過渡期である。年齢的には，12～21歳ごろまでを指すと考えられており，内分泌学的側面からみても，社会的・経済的・心理的側面からみても，あらゆる面で非常に不安定で脆弱な時期でもある。このような背景をもつ思春期から青年期は，小児喘息が軽快するといわれる一方で，難治化例や死亡例が認められるので，治療・管理するうえで注意を要する。また，地域・学校・職場での理解不足があり，社会とのかかわりが広がる年齢層で，個人での対応には限界がある。

注意点

気道過敏性が持続しており，ダニアレルゲンなどの特異的刺激，運動，冷気，タバコ煙，感染などの非特異的刺激で容易に喘息症状が誘発される。また，医療費・経済的問題，医療体制や診療時間の問題がある。具体的には，実質的な単身世帯化で，社会的・経済的にも不安定であり，学業・仕事の質の変化や量の増加など社会的な事情から，平日や日中の受診ができにくくなっている。そのため，症状や炎症がコントロール不十分となる。注意点として，図1に思春期喘息の難治化の問題点を記載する[1]。

検　査

思春期では呼吸機能・気道過敏性・リモデリングについて，下記のような特徴がある。

1. 呼吸機能検査

呼吸機能は小児期には急性増悪(発作)時に異常を示し

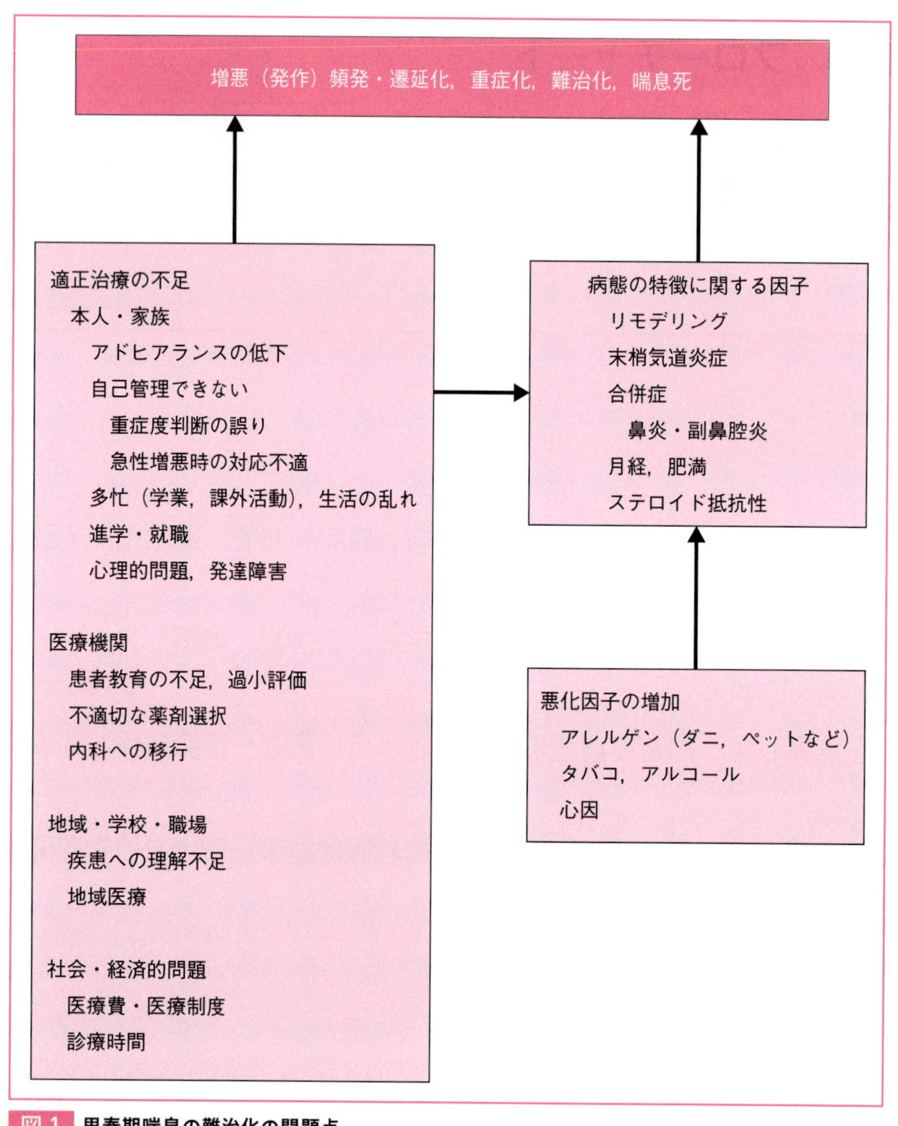

図1 思春期喘息の難治化の問題点

（文献1より引用改変）

ても非増悪時には正常に回復するものが多いが，思春期になると難治例ほど非増悪時にも低値を示すようになる[2]。可逆性は低下し，末梢気道閉塞パターンを呈してくる。

2. 気道過敏性

思春期以前では増悪の回数と気道過敏性に関連があるが，思春期以降では関連がなくなってくる。すなわち，それまでは急性増悪(発作)をコントロールすれば気道過敏性亢進の回復が得られたものが，コントロールをしても簡単には亢進した過敏性が回復しなくなる[3]。

3. リモデリング

この時期に急性増悪(発作)が多発している患者は，成人まで持ち越す可能性が高い。また，この時期に気道過敏性の亢進した者では再燃の可能性が高い[4]。

環境因子

アレルゲン，肥満，月経，合併症，喫煙，アルコールなどの悪化因子の増加が考えられる。

1. アレルギーの関与

血清総 IgE 値は低下傾向にあるが成人よりは高く，

家族歴も濃厚でアトピー型喘息が多い[5)6)]。したがって，環境アレルゲンの影響も大きい[7)]。

2. 肥満との関係

欧米では肥満と喘息について関連があるとの報告が特に女性で多い。わが国でも7～15歳の学童を対象にした大規模調査で，肥満した女児に喘息が有意に多いことが報告されている[8)]。海外では肥満や第二次性徴の早期発来，糖代謝異常が喘息を増加させるという報告がある[9)]。

3. 月経関連喘息

月経周期に関連して月経3～4日前に起こる症状を月経前喘息と呼んでいる。成人では，女性喘息症例の30～40%で認められると報告されている[10)]が，思春期での報告は乏しい。機序としては，月経前期における体液量の増加に伴う気管支粘膜の浮腫，性ホルモンとの関係，化学伝達物質との関係，月経前緊張症との関係などが考えられており，月経前のピークフロー(peak expiratory flow：PEF)値の低下や，気道過敏性の亢進が報告されている[10)-12)]。

4. 合併症

過換気症候群や声帯機能障害(vocal cord dysfunction：VCD)などの心身症的な合併症が認められることがある。また，発達障害を合併している場合には，アドヒアランスの向上が困難であることが多い。このことは喘息の長期管理に影響する可能性がある。急性増悪(発作)に感染症や無気肺が合併する例は減少するが，縦隔気腫，皮下気腫，気胸を伴う率は相対的に高くなる。

治療反応・アドヒアランス

1. 生物学的製剤

難治性喘息に対して，生物学的製剤として抗IgE抗体(オマリズマブ)と抗IL-5抗体(メポリズマブ)は6歳以上，抗IL-4/IL-13受容体抗体(デュピルマブ)と抗TSLP抗体(テゼペルマブ)は12歳以上で保険適応がある。

IL-5は好酸球の増加，分化，活性化，生存などにかかわるサイトカインであり，メポリズマブは血中IL-5に結合することで，好酸球などに発現するIL-5受容体への結合を阻害する。臨床試験では，血中の好酸球を有意に減少させ，呼吸機能などの増悪の改善効果が認められている。メポリズマブの投与は6歳以上12歳未満では1回40mg，12歳以上では1回100mgを4週間に1回皮下注射で行う。主な副作用は注射部位の反応や頭痛であるが，ほかの副作用は少ないとされている。メポリズマブは高用量吸入ステロイド薬(inhaled corticosteroid：ICS)やサルメテロール／フルチカゾン(SFC)の使用でも全身性ステロイド薬の投与を必要とする程度の急性増悪(発作)を繰り返す患者や，血中IgE値が高くオマリズマブの適応とならない症例などに考慮される。

デュピルマブは，IL-4およびIL-13による獲得型および自然型の両者の好酸球性炎症および気道リモデリング，すなわち2型炎症を抑制する生物学的製剤である。アレルギー性結膜炎以外に副作用は少ない。初回600mg，2回目以降300mgを2週間に1回皮下注射する。テゼペルマブは，気道炎症カスケードの上流に位置する上皮細胞由来のTSLPに結合することで，下流の炎症プロセスを抑制する生物学的製剤である。1回210mgを4週間毎に1回皮下注射する。

上記4剤の生物学的製剤の選択について，血中の好酸球数，アレルゲン感作および呼気中一酸化窒素濃度(fraction of exhaled nitric oxide：FeNO)のバイオマーカーからみた生物学的製剤による治療ストラテジーについては，「第5章 治療」を参照されたい。

オマリズマブ，メポリズマブ，デュピルマブ，テゼペルマブの使用は，小児慢性特定疾病の適応となっている。

2. 自己管理

治療の主導権が患者本人に移動し，保護者の監督から外れて治療が増悪時の対症的治療のみになりやすい。自己管理が十分に行えず，服薬率などアドヒアランスが著明に低下する可能性が考えられる。

3. 患者指導

移行期医療を意識して，患者が自己決定をできるよう

表1 思春期・青年期喘息の長期管理・治療・患者指導

学童期(高学年)	目標	・喘息の病態と治療の必要性を理解する。 ・自己効力感に支えられたセルフケア行動ができる。
	治療	・喘息日記，ピークフローモニタリングを可能な範囲で本人に任せる。 ・呼吸機能，FeNO 測定，気道過敏性検査を定期的に行い，治療の評価・調整・治療を繰り返す。
思春期青年期	目標	・喘息の病態と治療の必要性を理解する(より高いレベルで)。 ・自分の喘息の状態を医師に説明できる。 ・成人医療への移行の概念・自律性を獲得する必要性を理解する。 ・保護的な医療から自律的な医療への変化を受け入れる。
	治療	・患者本人を中心とした家族との信頼関係やパートナーシップを再構築して，それに基づいて，本人と病状や治療内容について再検討する。 ・本人によるセルフモニタリング(喘息日記，ピークフローモニタリング，質問票による評価)を促す。 ・呼吸機能，FeNO 測定，気道過敏性検査を定期的に行い，治療の評価・調整・治療を繰り返す。 ・症状が消失していても気道過敏性の亢進や気道閉塞が残存している場合は，再燃する可能性があることも念頭に入れて，治療方針を検討する。 ・治療において，15 歳以上では JGL も参考にする。

(文献 13 より引用)

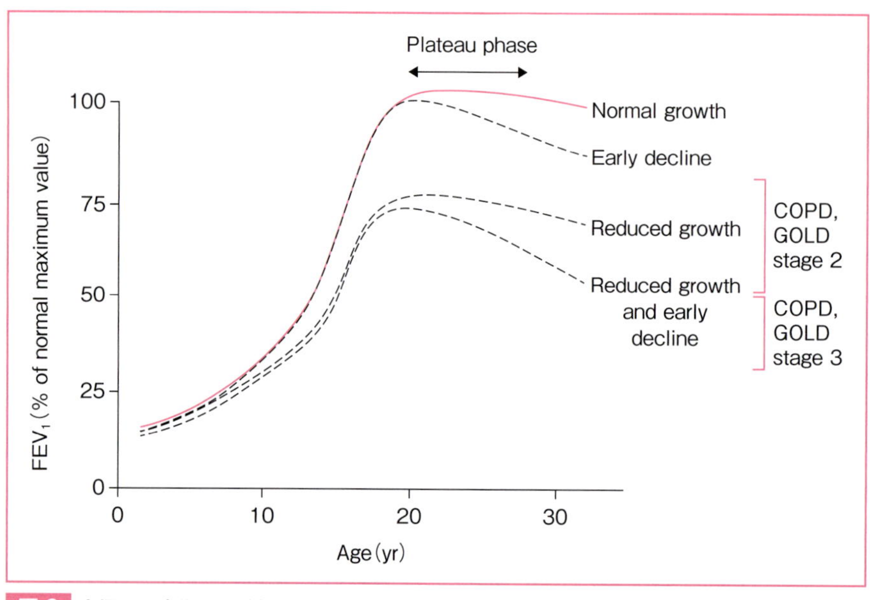

図2 小児・思春期の持続性喘息と呼吸機能低下が COPD の発症リスク因子になる

(文献 14 より引用)

に患者－医師関係を組み直す必要があり，患者本人，医療者，それぞれに求められるものがあることを認識しなければならない。

思春期・青年期の患者指導を表1に示す[13]。患者指導は，思春期以前から継続して行われるが，移行期医療を完成させるという具体的な目標をもって行う。

4. 予後

図2に示すように，CAMP study では 26 歳までの呼吸機能の成長パターンから，小児・思春期の持続性喘息と呼吸機能低下が若年の成人期からの慢性閉塞性肺疾患(chronic obstructive pulmonary disease：COPD)の発症リスクを増大させる[14]。さらに，小児喘息が寛解した成人は，健常成人と比較して 1 秒量(FEV_1)や努力肺活量(FVC)の経年的低下を認めたことが報告されている[15]。以上から，小児喘息の予後をよくするためには，臨床症状の寛解維持はもちろんのこと，思春期前の早期から呼吸機能の正常化を目指す必要がある。そのために，乳幼児期からの早期診断，早期治療が重要と考える。

● 文献

1) 濱崎雄平，河野陽一，海老澤元宏，他(監)．一般社団法人日本小児アレルギー学会．小児気管支喘息治療・管理ガイドライン 2012．東京：協和企画；2011.
2) 西尾 健，加野草平，小田嶋博，他．学童期から思春期・青年期にかけての喘息患者の肺機能変化についての検討．日小児アレルギー会誌．1998；12：174.
3) 小田嶋博，馬場 実．小児気管支喘息患者のアセチルコリン吸入標準法における反応性と測定前後の臨床経過についての年齢別検討．アレルギー．1992；41：1561-66.
4) Zhong NS, Chen RC, Yang MO, et al. Is asymptomatic bronchial hyperresponsiveness an indication of potential asthma? A two-year follow-up of young students with bronchial hyperresponsiveness. Chest. 1992；102：1104-9.
5) Hu FB, Persky V, Flay BR, et al. An epidemiological study of asthma prevalence and related factors among young adults. J Asthma. 1997；34：67-76.
6) European Community Respiratory Health Survey(ECRHS)-Italy. Determinants of bronchial responsiveness in the European Community Respiratory Health Survey in Italy：evidence of an independent role of atopy, total serum IgE levels, and asthma symptoms. Allergy. 1998；53：673-81.
7) O'Hollaren MT, Yunginger JW, Offord KP, et al. Exposure to an aeroallergen as a possible precipitating factor in respiratory arrest in young patients with asthma. N Engl J Med. 1991；324：359-63.
8) Kusunoki T, Morimoto T, Nishikomori R, et al. Obesity and the prevalence of allergic diseases in schoolchildren. Pediatr Allergy Immunol. 2008；19：527-34.
9) Cottrell L, Neal WA, Ice C, et al. Metabolic abnormalities in children with asthma. Am J Respir Crit Care Med. 2011；183：441-8.
10) Vrieze A, Postma DS, Kerstjens HA, et al. Perimenstrual asthma：a syndrome without known cause or cure. J Allergy Clin Immunol. 2003；112：271-82.
11) Martinez-Moragón E, Plaza V, Serrano J, et al. Near-fatal asthma related to menstruation. J Allergy Clin Immunol. 2004；113：242-4.
12) Shames RS, Heilbron DC, Janson SL, et al. Clinical differences among women with and without self-reported premenstrual asthma. Ann Allergy Asthma Immunol. 1998；81：65-72.
13) 足立雄一，滝沢琢己，二村昌樹，他(監)．一般社団法人日本小児アレルギー学会．小児気管支喘息治療・管理ガイドライン 2020．東京：協和企画；2020.
14) McGeachie MJ, Yates KP, Zhou X, et al. Patterns of growth and decline in lung function in persistent childhood asthma. N Engl J Med. 2016；374：1842-52.
15) Miura S, Iwamoto H, Omori K, et al. Accelerated decline in lung function in adults with a history of remitted childhood asthma. Eur Respir J. 2022；59：2100305.

A 判定基準／フローチャート

3 成人～高齢者

ポイント

- 成人喘息患者のコントロールが不十分な場合は，アドヒアランス・吸入手技，喫煙，感作アレルゲンへの継続的な曝露，職業性曝露の有無等を評価したうえで，２型炎症バイオマーカーや合併症の確認を行い，鑑別診断についても改めて検討する。
- 成人女性喘息患者の場合は，上記のチェック項目に加えて，月経周期との関連，肥満などについても評価する必要がある。
- 高齢喘息患者の場合は，吸入手技が正しく行われているかをまず評価するとともに，腫瘍性病変や心不全，感染症などを除外するための画像診断を早い段階で実施すべきである。

成人～高齢者においては，難治性喘息と鑑別を要する疾患や喘息を難治化させる寄与因子が小児喘息とは異なっている（図１）。また，喘息の難治化にかかわる因子に性差を伴うものもあることから，成人，成人（女性），

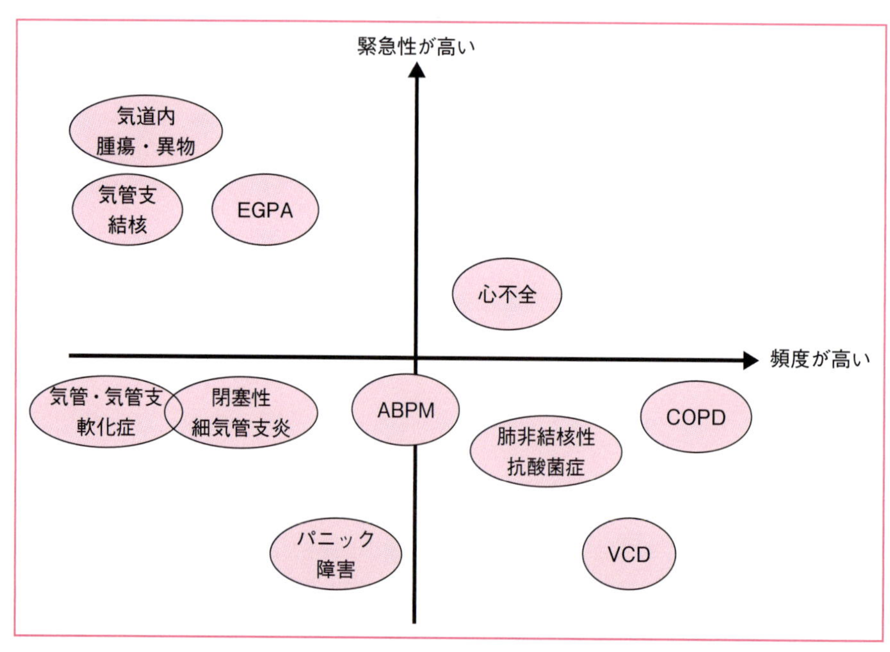

図１　難治性喘息との鑑別を要する疾患（成人～高齢者）

鑑別疾患には，頻度は高いが緊急性が低いものと，頻度は低いが緊急性の高いものがある。ABPM：アレルギー性気管支肺真菌症（allergic bronchopulmonary mycosis），COPD：慢性閉塞性肺疾患（chronic obstructive pulmonary disease），EGPA：好酸球性多発血管炎性肉芽腫症（eosinophilic granulomatosis with polyangitis），VCD：声帯機能障害（vocal cord dysfunction, paradoxical vocal fold motion）。

高齢者に分けて提示する。

成人(表1，図2)

成人喘息患者の場合，最初に考慮すべきはアドヒアランスと吸入手技に問題がないかどうかである[1)]。特に小児発症喘息の患者は罹病期間が長いこともあって，症状に対する慣れが生じて自覚症状と臨床的な重症度とが乖離していることがあり，指示された長期管理薬治療をきちんと実行していないことも多い。患者へ「週に何日ICSあるいはその配合剤を使用しているか？ また1日何回使用しているか？」を尋ね，アドヒアランスが低下していれば，その理由(医療費，治療薬の必要性に対する理解があるか，その副作用を心配しているのかなど)を患者から確認する[2)]。

吸入手技に関しては，後述の高齢者と異なり，成人喘

表1 成人の難治性喘息鑑別チェックリスト

アドヒアランス・吸入手技
□ ICSあるいはその配合薬を週何日使用しているか？ また，1日何回使用しているか？
□ 症状が出現したら，どの薬剤を使用するか？
□ 診察室で患者に吸入手技を実演してもらい，正しくできているかどうか？
環境要因
□ 現在，喫煙しているか？
□ ペットを飼っているか？
□ 職場で動物・植物あるいはそれ由来の物質を扱っているか？ 化学物質を扱うことがあるか？
□ 勤務日と休日で症状の出方に違いがあるか？
鑑別疾患・併存症
□ 向精神薬を服用しているか？ 精神疾患の既往はあるか？
□ 吸気時の呼吸困難感があるか？
□ いびきや日中の眠気，睡眠中の夜間覚醒はあるか？
□ 胸やけや胃酸逆流症状はあるか？

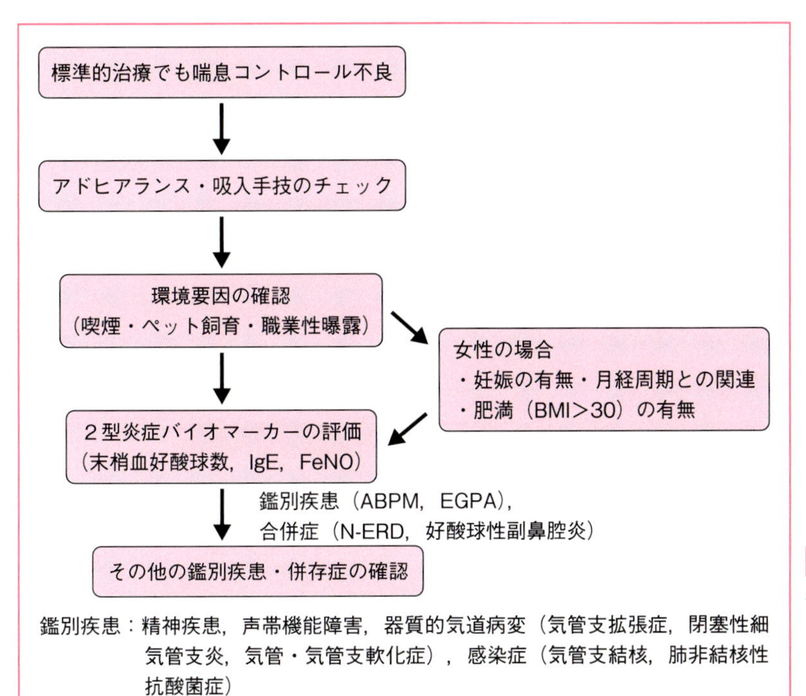

図2 成人における難治性喘息鑑別フローチャート

標準治療でもコントロール不良の喘息患者を診た場合には，図のような流れで診断を行う。女性の場合には妊娠・月経との関連および肥満の関与についても検討する必要がある。

N-ERD：NSAIDs増悪呼吸器疾患(NSAIDs-exacerbated respiratory disease)。

息患者の吸気流量は大きく，ドライパウダー型製剤の吸入手技は比較的問題がないことが多い。エアロゾル製剤（加圧式定量噴霧吸入器やソフトミスト型吸入器）は，ゆっくり深く吸入するように指導する必要がある。

アドヒアランス・吸入手技に問題がない，あるいはそれらを修正しても喘息のコントロールが改善しない場合に，成人喘息患者で次にチェックすべきは環境要因である。環境要因として特に重要なのは，喫煙と感作アレルゲンである。わが国における成人喘息患者の喫煙率は一般成人と同程度とされている。50歳未満で慢性閉塞性肺疾患（chronic obstructive pulmonary disease：COPD）の基準を満たす閉塞性換気障害や肺気腫を呈することは比較的少ないが，喫煙はステロイド反応性を低下させるため，喘息の難治化因子となりうる[3)4)]。

感作アレルゲンへの継続的な曝露は，喘息難治化にかかわるが，ネコやハムスター，ウサギなどのペットを飼育している場合には症状が持続しやすい。また，成人喘息では真菌アレルゲン感作による難治化もみられるので，これらのアレルゲンへの感作状況についても把握しておく必要がある。空中浮遊真菌として *Aspergillus*，*Alternaria*，*Penicillium*，*Cladosporium*，粘膜・表皮常在真菌として *Candida*，*Trichophyton* などに対する皮膚テストあるいは特異的IgE抗体測定を検討する[5)6)]。

成人喘息におけるもう1つの重要な環境要因は職業性曝露であるが，しばしば見過ごされている。原因物質としては感作を成立させるもの（動植物由来タンパクなどの高分子量物質，イソシアネートなどの低分子化学物質）と，感作とは関係ない刺激物質（塩素系，二酸化硫黄，アンモニア）がある[7)]。問診と職場でのピークフロー（peak expiratory flow：PEF）低下などが重要な診断根拠となる。特異的IgE抗体測定や皮膚テストは，低分子化学物質や刺激物質についてはイソシアネートなど一部を除いてアレルゲン同定には有用でない[7)]。吸入曝露試験は確定診断に有用であるがリスクを伴うため，専門施設で実施すべきである。

環境要因のチェックとあわせて，2型炎症バイオマーカーである末梢血好酸球数，血清総IgE値，呼気中一酸化窒素濃度（fraction of exhaled nitric oxide：FeNO）を検討する。適切な吸入ステロイド薬（inhaled corticosteroid：ICS）治療を行っているにもかかわらず，これらのバイオマーカーが高値を呈する，あるいは上昇傾向を示す場合には，NSAIDs増悪呼吸器疾患（NSAIDs-exacerbated respiratory disease：N-ERD）や好酸球性副鼻腔炎（eosinophilic chronic rhinosinusitis：ECRS）の合併を考えるとともに，アレルギー性気管支肺真菌症（allergic bronchopulmonary mycosis：ABPM）や好酸球性多発血管炎性肉芽腫症（eosinophilic granulomatosis with polyangiitis：EGPA）などとの鑑別を考慮する必要

表2　2型炎症バイオマーカー（末梢血好酸球数，血清総IgE値，FeNO）高値時のチェックリスト

問診
□ NSAIDs服用後2時間以内に上・下気道症状が増悪した既往があるか？
□ 上記と異なるNSAIDsでも同様の増悪の既往があるか？
□ 嗅覚障害あるいは鼻閉があるか？
□ 鼻ポリープ，鼻茸，あるいは好酸球性副鼻腔炎と診断されたことがあるか？
□ 固形あるいは樹状の粘液栓を喀出したことがあるか？
□ 最近，手足のしびれを自覚するようになったか？
血液検査
□ 末梢血好酸球数が＞500/μL（ABPM考慮），＞1,000/μL（EGPA考慮）
□ 血清総IgE値が＞417 IU/mL（ABPM考慮）
□ 血清CRP高値（EGPA考慮）
□ 真菌特異的IgE
□ アスペルギルス沈降抗体（あるいはアスペルギルスIgG抗体）
□ MPO-ANCA
画像診断
□ 胸部CT
□ 副鼻腔CT

がある(表2)。

その他の鑑別疾患としては，器質的気道疾患(気管支拡張症，閉塞性細気管支炎，気管・気管支軟化症)や気道感染症(気管支結核，肺非結核性抗酸菌症)以外に精神疾患，声帯機能障害(vocal cord dysfunction，paradoxical vocal fold motion)がある。精神疾患は併存症としても重要であり，低い病識や治療アドヒアランスによる不十分な治療，逆に過量服薬によるテオフィリン中毒等の副作用，合併する肥満や肺塞栓症に伴う難治化，パニック発作による過換気の合併などを来し，喘息死の危険因子でもあるので注意する必要がある[8)9)]。声帯機能障害は難治性喘息の鑑別疾患としてだけではなく，合併症としても重要である(合併率32～50％[10)])。声帯機能障害は若年者でも生じ，運動等が誘発因子となる[11)]。そのため小児喘息の既往がある患者であっても，気管支拡張薬による呼吸困難感の改善が乏しければ，耳鼻咽喉科での喉頭内視鏡検査を考慮する必要がある。また，難治化にかかわる疾患として肥満，閉塞性睡眠時無呼吸(obstructive sleep apnea：OSA)，胃食道逆流症(gastro-esophageal reflux disease：GERD)などがある(第4章-C参照)。

成人(女性)(表3，図2)

第二次性徴発現以降は男性よりも女性で喘息罹患率が高くなる。これは1つには気道径の性差があるが，もう1つの重要な要因は女性ホルモンの関与である。月経周期に関連して，あるいは妊娠女性で喘息コントロール悪化がみられることなどが女性ホルモンと喘息の難治化との関連を裏付けている[12)]。生殖可能年齢の女性では喘息のコントロールと月経周期との関連を確認する必要がある[13)]。

その他に，男性よりも女性で多くみられる難治性喘息のタイプに肥満合併喘息とN-ERDがある。Body mass index(BMI)で35を超える高度肥満は女性における喘息難治化の危険因子とされる。日本人では高度肥満の頻度は少ないが，BMIが30を超えている場合には難治化しやすいことを示す疫学的データがある[14)]。

女性喘息患者は男性喘息患者よりも呼吸困難感を強く訴えることが多いとされるが，パニック発作による過換気と鑑別することは大切である。また，その他の鑑別疾患のなかで女性に多いものとしては，肺非結核性抗酸菌症や関節リウマチ等に伴う閉塞性細気管支炎などがある。

高齢者(表4，図3)

高齢者喘息患者では，若年者と異なりアドヒアランスは比較的良好であるが，しばしば不適切な吸入手技により喘息のコントロール悪化を来している。そこで，難治

表3 成人女性の難治性喘息チェックリスト [成人のリスト(表1)に追加]

- □ 妊娠を契機に悪化した既往はあるか？
- □ 喘息の症状と月経周期の関連はあるか？
- □ BMI>30か？

表4 高齢者の難治性喘息チェックリスト

アドヒアランス・吸入手技
□ 診察室で患者に吸入手技を実演してもらい，正しくできているかどうか？
□ ICSあるいはその配合薬を週何日使用しているか？ また，1日何回使用しているか？
鑑別疾患・併存症
□ 過去に10 pack・year以上の喫煙歴があるか？
□ 労作時の呼吸困難はあるか？
□ 心疾患の既往はあるか？
□ 夜間の起座呼吸はあるか？
□ 胸やけや胃酸逆流症状はあるか？
必須検査
□ 胸部単純X線
□ 胸部CT
□ スパイロメトリー

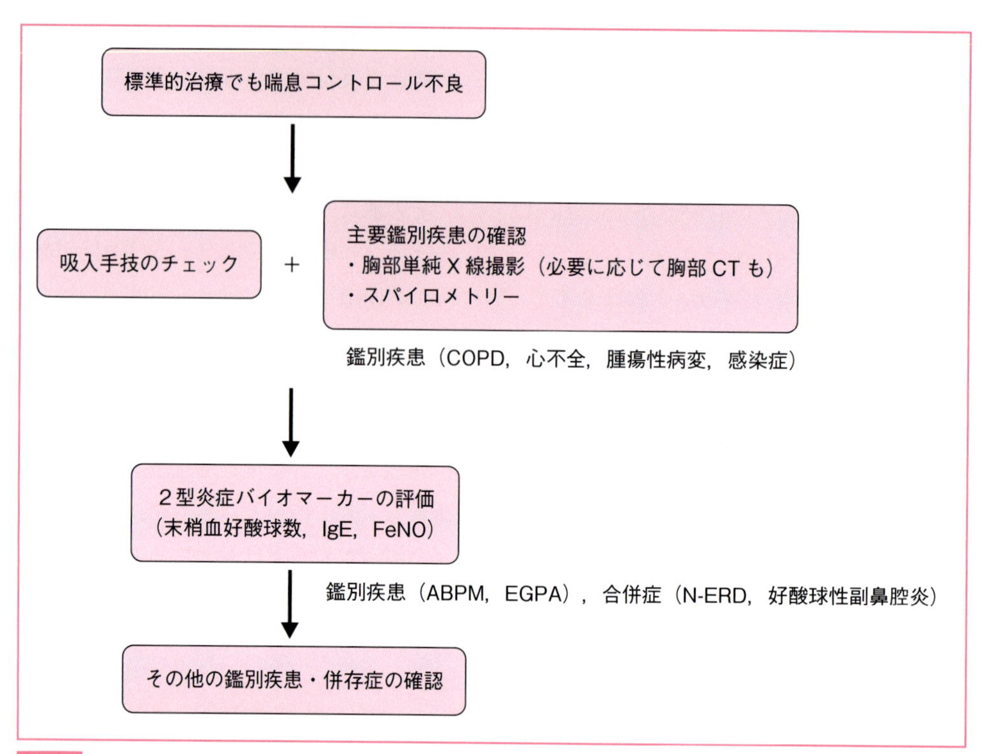

図 3　高齢者における難治性喘息鑑別フローチャート

高齢者では，まず吸入手技のチェックと COPD，心不全，腫瘍性病変，感染症といった重要な疾患の鑑別を行ってから，さらに診断を進めていく。

性喘息と診断する前にまず行うべきは，吸入手技のチェックである。吸入手技の注意点を細かく説明しても高齢者の場合には覚えきれないこともあり，その後の経過中に実際に診察室内で使用中のデバイスやデモ器を使って吸入させてみて，大事なポイントを修正する。これを外来受診の度に何度か繰り返すことが大切である。介護者や同居の家族がいれば，一緒に吸入手技指導を行うこともよいであろう。

同時に，高齢者では腫瘍性病変や心不全，感染症(肺抗酸菌症など)を合併している可能性が若年者と比較して高く，これらの重要な疾患を鑑別するためにも，必ず胸部単純 X 線写真を初診時および増悪時に撮影する。喫煙歴がある場合には，COPD の合併がないかを確認するためにも，スパイロメトリーを診断早期に必ず行うべきである。喘息に対する治療反応性が不良である場合は，胸部 CT を撮影することが推奨される。

文献

1）Hekking PP, Wener RR, Amelink M, et al. The prevalence of severe refractory asthma. J Allergy Clin Immunol. 2015；135：896-902.

2）Global Initiative for Asthma(GINA). 2021 GINA Report, Global Strategy for Asthma Management and Prevention. https://ginasthma.org/wp-content/uploads/2021/05/GINA-Main-Report-2021-V2-WMS.pdf

3）Chaudhuri R, Livingston E, McMahon AD, et al. Cigarette smoking impairs the therapeutic response to oral corticosteroids in chronic asthma. Am J Respir Crit Care Med. 2003；168：1308-11.

4）Lazarus SC, Chinchilli VM, Rollings NJ, et al. Smoking affects response to inhaled corticosteroids or leukotriene receptor antagonists in asthma. Am J Respir Crit Care Med. 2007；175：783-90.

5）Fukutomi Y, Taniguchi M. Sensitization to fungal allergens：Resolved and unresolved issues. Allergol Int. 2015；64：321-31.

6）Masaki K, Fukunaga K, Matsusaka M, et al. Characteristics of severe asthma with fungal sensitization. Ann Allergy Asthma Immunol. 2017；119：253-7.

7）日本職業・環境アレルギー学会(監).「職業性アレルギー疾患診療ガイドライン 2016」作成委員会．職業性アレルギー疾患診療ガイドライン 2016．東京：協和企画；2016. pp.1-39.

8）ten Brinke A, Ouwerkerk ME, Zwinderman AH, et al. Psy-

chopathology in patients with severe asthma is associated with increased health care utilization. Am J Respir Crit Care Med. 2001；163：1093-6.
9) Amelink M, Hashimoto S, Spinhoven P, et al. Anxiety, depression and personality traits in severe, prednisone-dependent asthma. Respir Med. 2014；108：438-44.
10) Porsbjerg C, Menzies-Gow A. Co-morbidities in severe asthma：Clinical impact and management. Respirology. 2017；22：651-61.
11) Morris MJ, Christopher KL. Diagnostic criteria for the classification of vocal cord dysfunction. Chest. 2010；138：1213-23.
12) Zein JG, Erzurum SC. Asthma is different in women. Curr Allergy Asthma Rep. 2015；15：28.
13) Rao CK, Moore CG, Bleecker E, et al. Characteristics of perimenstrual asthma and its relation to asthma severity and control：data from the Severe Asthma Research Program. Chest. 2013；143：984-92.
14) Fukutomi Y, Taniguchi M, Tsuburai T, et al. Obesity and aspirin intolerance are risk factors for difficult-to-treat asthma in Japanese non-atopic women. Clin Exp Allergy. 2012；42：738-46.

B 鑑別と評価のための検査［血液検査，血清学的検査，呼吸機能検査(スパイロメトリー，PEF，気道可逆性検査，気道過敏性検査，肺拡散能検査)，HRCT など］

ポイント

- 総 IgE，特異的 IgE 抗体：喘息の病態で特に重要な抗体は IgE である。ダニや動物の毛・皮屑，真菌，昆虫などに特異的な IgE 抗体があるとアトピー型喘息に分類される。マスト細胞上の IgE が，侵入してきたアレルゲンと結合し架橋すると，即時型アレルギー反応が惹起される。IgE 抗体は 1966 年に石坂公成・照子夫妻により 5 番目の抗体として発見されたことはよく知られている。
- 好酸球：骨髄の前駆細胞が増殖し好酸球に分化する過程を IL-5 が制御する。IL-5 あるいは IL-5 受容体(好酸球が発現する)を標的とする治療は，好酸球を標的とする治療と言い換えることができる。気道に好酸球が集積する好酸球性喘息であると推定するには喀痰の好酸球数測定が有用だが，血中の好酸球数で大まかに知ることができるため，抗 IL-5 抗体および抗 IL-5Rα 抗体の投与対象患者を決める際に，血中の好酸球数が目安として用いられる。
- ピークフロー(PEF)：PEF は peak expiratory flow の略語であるが，ピークフローと略すことが多い。立位で最大吸気位の時点でマウスピースをくわえて，できるだけ速く呼出して，表示される数値を読み取り，3 回測定して最良値を喘息日誌に記録する。正しく測定され記録されたピークフローは，喘息の存在の診断，正確な気道閉塞の程度(重症度)の把握，治療効果の客観的な判定，患者の自己管理に有用である。

気管支喘息の診断・評価のために，血液検査や呼吸機能検査をはじめとする臨床検査は重要である。また，気管支喘息が難治性であることを，1 回の検査により示すことは困難ではあるが，難治性喘息の鑑別・評価・経過観察のために臨床検査の果たす役割は大きく，各検査について概説する。

血液検査，血清学的検査

一般血液検査としては血算(白血球像を含む)，生化学(肝，腎，BNP あるいは NT-proBNP)検査は基本として押さえておく。血算では好酸球増多を確認するが，好酸球性喘息を選別するために有用な情報であり，IL-5 を標的とする治療の対象を選ぶ際の参考となる。なお，抗 IL-5 抗体および抗 IL-5Rα 抗体の投与対象としては，好酸球数が 150/μL 以上(開始時)あるいは 300/μL 以上(過去 1 年以内)が目安とされている。抗 IL-4Rα 抗体の有効性予測因子の 1 つとしても，好酸球数が用いられる。好酸球増多を認めない場合，好中球性喘息の推定のほかに，ステロイド薬内服による影響，感染症の合併を鑑別に考慮する必要がある。BNP あるいは NT-proBNP は心不全の鑑別に有用であり，特に起坐呼吸と肺野の透過性低下を呈して心臓喘息発作を疑う場合に参考となる。

血清学的検査（アレルギー検査）としては，総 IgE 値，特異的 IgE 抗体を測定するが，特異的 IgE についてはダニ（*Dermatophagoides pteronyssinus*，*Dermatophagoides farinae*），真菌（*Aspergillus*，*Candida*，*Alternaria*，*Cladosporium* など），動物の毛など（イヌ，ネコ，ウサギ，ハムスター等の毛あるいは皮屑。イヌについてはイヌ上皮よりも皮屑のほうが陽性となりやすい），昆虫（ゴキブリ，ユスリカ，ガなど），花粉（スギ，ヒノキ，カモガヤ，ブタクサなど）のうちから症状が起こる時期や患者の生活環境やペットと関連のある項目を選ぶ。保険診療上，特異的 IgE 抗体は 1 回の検査で 13 項目まで測定できるが，30 項目以上をスクリーニング測定する方法もアレルゲン判定の参考となる（保険診療では 13 項目測定と算定されるので，単項目検査を追加する場合はスクリーニング検査とは別の月に施行する）。このスクリーニング測定法（view アレルギー 39，MAST36）は多項目のなかから感作アレルゲンを見つけるのに好都合であるが，定量性が低いので，数値の確認は単項目の特異的 IgE 抗体を測定すべきであり，スクリーニング測定だけを数年ごとに行って数値変化をみていくことは勧められない。なお，総 IgE 値が 10 年前と比べて上昇がみられる喘息患者においては重症の割合が多く，また，アスペルギルス感作の頻度が高いことが報告されている[1]。

喘息に対する抗 IgE 抗体の適応を判断する際には，年齢は 6 歳以上および成人，体重は 20 ～ 150kg の範囲内，総 IgE 値が 30 ～ 1,500 IU/mL の範囲内にあって，体重と総 IgE 値とが投与量換算表におさまっている範囲にあり，しかも，（花粉以外の）アレルゲンに対する感作が陽性のアトピー型喘息，すなわち特異的 IgE 抗体値が陽性であることが適応の条件である。特異的 IgE 値の代わりに即時型皮膚反応を用いてもよい。なお，抗 IgE 抗体は重症の花粉症にも適応がある。

また，血液検査により，血清中テオフィリン濃度を測定してテオフィリン徐放製剤（sustained-release theophylline：SRT）や点滴製剤の投与量設定の参考にする。喘息のコントロールのため経口ステロイド薬（oral corticosteroid：OCS）を常時，あるいはしばしば用いる患者においては，コルチゾールを測定して副腎機能を確認しておくのが望ましい。

血液ガス検査は，急性増悪時の管理の参考情報となる。来院の際に，SpO_2 が低値のときに検査を行うと，$PaCO_2$ 貯留を伴うことの多い高度増悪（大発作），および，さらに重篤な増悪の判断に有用である。

呼吸機能検査（スパイロメトリー，PEF，気道可逆性検査，気道過敏性検査，肺拡散能検査）

呼吸機能検査は喘息診療においてきわめて重要な位置付けにある（表 1）[2]。スパイロメトリーは経過観察に有用であり，難治性喘息患者が紹介されてきたときには，初診時，治療を強化して 1 ～ 3 ヵ月後，および 1 年ほどの間隔で施行するのが望ましい。慢性閉塞性肺疾患（chronic obstructive pulmonary disease：COPD）合併は労作時息切れの増強，長期酸素吸入の必要性，生命予後といった点で重要であり，肺活量，努力肺活量（FVC），1 秒量（FEV_1），1 秒率（FEV_1/FVC）とともに肺気量分画，拡散能検査なども行って評価に用いる。肺気量分画については全肺気量，残気量（率）の測定を含んでおり肺過膨張の評価に役立つが，COPD 合併だけでなくリモデリングの進行した難治性喘息や喘息増悪時も類似した検査結果を示す。エアートラッピングの判断には画像所見も組み合わせるとよい。肺拡散能低下は喘息だけでは起こりがたく，低下している場合には COPD 合併の判断に有用である。

ピークフロー（peak expiratory flow：PEF）は喘息日誌と組み合わせることで喘息の自己管理に有用である。難治性喘息においては，普段から PEF は低値であるとともに，上気道感染や天候不順などが刺激となって容易に低下する。正常値をもとに一律に目標値を決めるのではなく，各患者の最良値をもとに要注意域（イエローゾーン），ただちに対応を要するレッドゾーンを担当医と打ち合わせておくことで遅滞ない対応につながる。

気道可逆性検査は，スパイログラムを β_2 刺激薬吸入の前後に行い，吸入による変化を確認する方法である。FEV_1 が 12％以上かつ 200mL 以上増加すると可逆性あ

表1 喘息管理のための検査

検査	概要	解釈	付記
スパイロメトリー	最も基本的な呼吸機能検査 主要な評価項目 ・努力肺活量(FVC) ・1秒量(FEV_1) ・1秒率(FEV_1%＝FEV_1/FVC) ・予測値に対する1秒量(% FEV_1)	正常範囲：FEV_1% 70%以上かつ% FEV_1 80%以上(または自己最良値の80%以上)。治療によりFEV_1が12%かつ200mL以上改善すれば気道可逆性があると判断する。	気流制限の程度や気道可逆性を調べる際に推奨される方法であり診断とモニタリングに有用である。モニタリングでは年に数回程度の実施が望ましい。
ピークフロー(PEF)	簡便なPEFメータで測定するため患者自身が気流制限を評価するのに適している。喘息悪化が数値で判断でき，より早く治療を強化できる。朝の服薬前と夜の測定の継続でPEFの日(週)内変動率を求めることができる。	予測値に対するPEFが80%以上で正常範囲内とする。 80%未満の場合やPEF変動率が20%以上であれば，気道過敏性が亢進している可能性が高く，長期管理薬の強化を検討する。	気流制限の程度や変動性を在宅で調べる際に推奨される。診断とモニタリングに有用である。症状の不安定な患者や発作時に自覚症状の乏しい患者は定期測定を継続する。呼出時の努力に依存するため過小評価に注意を払う。
喀痰中好酸球比率	自発痰あるいは高張食塩水を吸入して得た喀痰(誘発痰)を検体として用いる。	喀痰中の好酸球比率が2～3%以上であれば，好酸球性気道炎症が存在すると判定する。	診断とモニタリングに有用である。喀痰中好酸球比率をガイドとして治療薬を調節して喘息増悪を抑制できたことが報告されている。
気道過敏性検査	気道収縮物質を吸入投与することにより生じる気道狭窄反応を計測して気道過敏性の有無および程度を評価する。負荷試験なので必ず医師が行う。	COPDなどあらかじめ気道狭窄のある疾患でも陽性となるため特異度は高くないが，感度が高いため陰性であれば喘息は，ほぼ否定できる。	診断に有用である。1秒量が1L(または予測値の50%)以下の症例では過度な気道狭窄が懸念されるため気管支拡張薬による気道可逆性検査が推奨される。

(文献2より引用改変)

りと判定するが，喘息であっても治療が効いて良好なコントロールを維持している状態や，増悪時で呼吸状態が不良のときには，β_2刺激薬を吸入してもあまり変化がみられず，可逆性ありと判定できないことがある。したがって，気道可逆性検査は喘息診断のために有用であるのに対し，難治性あるいは重症度をみる検査とは言いづらい。気道可逆性は喘息に限らず，COPDでもみられることがあるが，FEV_1の改善量が特に大きい(400mL以上)場合には喘息があると考えてよい。

気道過敏性検査には，アストグラフ法(呼吸抵抗が指標)と標準法(FEV_1が指標)があり，施設によりいずれか一方を採用実施していることが多い。いずれの検査においても，まず生理食塩水を吸入した後，試薬(アセチルコリン，メサコリン，ヒスタミンのいずれか)を低濃度から順に吸入して，有意な気道収縮が起こる時点で試薬閾値濃度・累積濃度が求められる。気道収縮の所見がみられた後は，β_2刺激薬吸入により気道を拡張して検査が終了する。難治性喘息においては気道過敏性が高い(低濃度の試薬により気道収縮が誘発される)ことが多いが，難治性か否かは気道過敏性だけで決まるものではない。また，呼吸機能が低値であると気道過敏性試験のリスクが高まり，増悪が誘発されうることに注意を要する。

呼吸抵抗値は，気道狭窄を反映する指標の1つとして，比較的簡便に測定できる。近年保険適用となった広域周波オシレーション法では，パルス波を使用しており，安静換気をするだけで多くの周波数の呼吸インピーダンスを，呼吸抵抗や呼吸リアクタンスに分けて測定することができる。努力性呼気を必要としないのが利点である。FEV_1やスパイロメトリーの代替検査とはならないので，補助的な検査と位置付けられる。喘息患者では一般に，周波数による変動はCOPDよりも小さいとされる。難治性喘息においては，治療を行っていても呼吸抵抗が高値のことが多く，定期的にスパイロメトリーを行う際は，まずその前に呼吸抵抗も測定しておくとよい。

高分解能CT

高分解能CT(high-resolution CT：HRCT)は，肺の正確な形態評価のために欠かせない検査である。通常のスライス厚のCTではなく，HRCTが必須である。喘息においては気管支壁の肥厚および内腔狭窄がみられるほか，好酸球性肺炎といった肺野陰影の検出に威力を発揮する。気腫性変化を伴う肺野の低吸収域(low attenuation area：LAA)はCOPDの存在を示唆する。

喀痰検査

自然喀出された痰，あるいは高張食塩水を用いて誘発された痰において，好酸球比率が2～3%以上であれば好酸球性気道炎症ありと判定される(表1)[2]。好中球の多寡もあわせて判定することにより気道炎症パターンを推定し，喘息フェノタイプの分類に結びつけることが可能である。

文献

1) Tanaka A, Jinno M, Hirai K, et al. Longitudinal increase in total IgE levels in patients with adult asthma：an association with poor asthma control. Respir Res. 2014；15：144.
2) 一般社団法人日本アレルギー学会喘息ガイドライン専門部会(監).「喘息予防・管理ガイドライン2021」作成委員. 喘息予防・管理ガイドライン2021. 東京：協和企画；2021.

C　合併症(併存症)および寄与因子

1　環境因子

ポイント

- 環境因子による頻回な増悪は，喘息の難治化における重要な寄与因子と考えられる。
- 大気汚染物質である粒子状物質，二酸化窒素，二酸化硫黄，オゾンは喘息の気道炎症，気道過敏性亢進，気道のリモデリング形成を誘導し，喘息の難治化に関与する。
- $PM_{2.5}$ はすべての環境因子と密接に関連しており，喘息増悪における中心的役割を果たしていると考えられる。
- 難治性患者では，$PM_{2.5}$ 濃度の上昇時における日常生活の留意事項として，汚染からの曝露を可能な限り減らすことが最も重要である。

環境因子

喘息に関連する環境因子としては，アレルゲン，大気汚染，喫煙，食物，気象，呼吸器感染症などが重要であり，喘息の発症や増悪に深く関与している。2019年末に出現した新型コロナウイルス(SARS-CoV-2)による感染症(COVID-19)により，ほかの感染症は激減し呼吸器疾患に大きく影響したが，気管支喘息においては，2020年における喘息による死亡や入院が例年に比べて大きく減少した[1)2)]。COVID-19対策としてのマスク着用，手洗いといった標準的な感染防御と，三つの密，すなわち密接・密集・密閉の回避により，少なくとも重度の喘息増悪を大きく減少させることが可能であることが明らかになったといえる。

コロナ禍が車の排気ガスや大気汚染にどのような影響をもたらしたかは，今後の検討課題であるが，これらが喘息の増悪因子であることは多くの研究により明らかであり，喘息の発症にも関与していると考えられる。喘息の機序からは，大気汚染は気道に対して酸化ストレスによる障害を引き起こし，これにより気道炎症や気道過敏性，気道リモデリングが増悪する可能性が考えられるが，アレルギー性炎症の病態における詳細な機序はいまだ明らかになっていない。しかしながら，このような環境因子による頻回な増悪は喘息の難治化におけるきわめて重要な寄与因子と考えられ，本項では主として大気汚染について述べる。

喘息増悪の寄与因子

喘息増悪の誘発因子として，呼吸器感染症，アレルゲン，大気汚染，気象の変化，食品・食品添加物，刺激物質(煙，臭気，花火，線香，たき火，香水，ヘアスプレー，水蒸気など)が考えられている。最近の住宅は，気密性が高くエアコンにより室内の温度が安定しているため，ダニ，カビ，ゴキブリなどが繁殖しやすい環境となり，これらが家塵となってアレルゲン吸入量が増加し，また新建材や接着剤が多く使用された建物では，ホルムアルデヒドなどの化学物質による室内汚染も無視できない。一方，大気中には，粒子状物質，ガス状物質，揮発性有機化合物，自動車交通由来大気汚染，黄砂など多くの汚染物質が存在している。これらの大気汚染物質のうち，粒子状物質(particulate matter：PM)，二酸化窒素(nitrogen dioxide：NO_2)，二酸化硫黄(sulfur dioxide：SO_2)，オゾン(ozone：O_3)は気道に酸化的障害を引き起こし，喘息の気道炎症，気道過敏性亢進や気道リモデリング形成を誘導し，喘息の難治化に関与する可能性が報告されている[3]。

自動車交通由来大気汚染と喘息の発症と増悪

先進国から発展途上国まで世界中で自動車の交通量が増加しているが，自動車からの排出ガスはPMや窒素酸化物などのガス状物質の複合物を中心として，道路粉塵やタイヤ，ブレーキパッドの消耗成分等も関与していると考えられており，これらを総称して現在ではTRAP(traffic-related air pollution)と呼ばれている[4]。欧州10都市で行われた疫学研究では，自動車交通量の多い道路に近い場所での大気汚染は，小児の喘息発症の14%，喘息増悪の15%に関与していることが報告され[5]，日本でもTRAPの指標として元素状炭素(elemental carbon：EC)を用いて都市部に居住する小学生の個人曝露量を推計した大規模疫学調査により，ECの個人曝露量が高くなるほど喘息の新規発症リスクが高くなることが報告されている[6]。

ガス状物質と喘息の増悪

日本においては，1960～1970年代に多くの工業都市でSO_2による大気汚染が発生し，喘息有病率の上昇や喘息の増悪が問題となったが，現在では自動車等からのNO_2，大気中のNO_2や揮発性有機化合物(volatile organic compounds：VOC)との光化学反応により二次的に生成されるO_3(いわゆる光化学スモッグの主たる物質)が非常に強い酸化力を有しており，大気汚染の原因として深刻な問題となっている。近年O_3濃度は増加傾向にあるが，多くの都市で環境基準を達成できていない。O_3濃度の上昇により喘息患者の気道炎症の増悪，気道過敏性亢進や呼吸機能の低下[7]，また喘息による夜間の受診が増加することが報告されている[8]。0～19歳を対象とした南カリフォルニアの研究(1983～2000年)において，暖かい季節(4～9月)では，O_3濃度と喘息による入院リスクは正の相関を示すことが報告されている[9]。夏季のO_3曝露には注意を要する。

揮発性有機化合物と喘息の増悪

VOCは，揮発性を有し大気中で気体状となる有機化合物の総称であり，ホルムアルデヒド，トルエン，ベンゼン，キシレンなど多種多様な物質が含まれる。VOCの多くは，塗料，接着剤，インキ等に溶剤として含有しているため，塗装，接着，印刷関係施設からの排出が多い。一方，家庭内での発生源としては，内装材等の施工用接着剤，塗料，木製家具，壁紙，カーペット等，また喫煙や石油，ガスを用いた暖房器具，衣類の防虫剤やトイレの芳香剤，防蟻剤などが考えられる。頻繁な洗浄剤等の使用により児童がVOCに曝露され，喘鳴や喘息症状が増悪することが報告されている[10]。VOCについては，厚生労働省による室内化学物質濃度指針値および国土交通省による建築基準法に基づく換気設備装置の義務付け等による対策がとられている。大気中の揮発性有機化合物のみでなく，室内での長期曝露による喘息発症について十分周知し，VOCが関与する可能性が考えられる場合には，室内環境整備についても十分考慮すべきである。

粒子状物質と喘息の増悪

浮遊粒子状物質(suspended particulate matter：SPM)として1973年に環境基準が設定されたが，粒子径が10 μm以下のものはPM_{10}，2.5 μm以下の微小粒子は$PM_{2.5}$と呼ばれ，PM_{10}は主に鼻腔から気管支領域に，$PM_{2.5}$はさらに細気管支から肺胞に到達する。$PM_{2.5}$

の喘息に対する短期および長期曝露の影響について多くの知見が報告され，2009(平成 21)年 9 月に環境基本法第 16 条第 1 項に基づく人の健康の適切な保護を図るために維持されることが望ましい水準として，1 年平均値 15 μg/m^3 以下かつ 1 日平均値 35 μg/m^3 以下に環境基準が設定された。

$PM_{2.5}$ の発生源は，主としてヒトの活動に伴う人為起源(60%)と自然界由来の自然起源(20%)があり，直接大気中に排出されたものを一次生成粒子，排出時にはガス状物質であるが環境大気中での光化学反応などにより粒子化したものを二次生成粒子という。一次生成粒子には，工場やボイラー，焼却炉などばい煙が発生する施設，コークス炉や鉱物堆積場など粉塵が発生する施設，自動車，船舶，航空機などのほか，土壌，海洋，火山など自然由来のものや越境汚染による影響も考えられる。家庭内でも，喫煙や調理，ストーブなどから粒子状物質が発生することに留意すべきである。

二次生成粒子は，火力発電所，工場・事業所，自動車，船舶，航空機，家庭などの燃料の燃焼によって排出される窒素酸化物(NOx)や硫黄酸化物(SOx)，さらに燃料燃焼施設のほかに溶剤・塗料の使用時や石油取扱施設からの蒸発，森林などから排出される VOC のガス状物質などが，大気中で太陽光，O_3 と反応して生成される(図 1)[11]。代表的粒子はディーゼルエンジン由来のディーゼル排気微粒子(diesel exhaust particle：DEP)である。DEP は EC をコアとし，その周囲や内部に，分子量の大きな炭化水素とその誘導体，多環芳香族炭化水素(polycyclic aromatic hydrocarbons：PAHs)，飽和脂肪酸，硝酸塩，硫酸塩等の多彩な物質が存在する。最近，大気より採取した $PM_{2.5}$ が IL-6，IL-8 の遺伝子発現やサイトカイン産生を誘導することが報告されている[12]。

$PM_{2.5}$ の健康影響として，短期曝露では，喘息，アレルギー疾患，気道感染症などの増悪因子となりうるが，特に $PM_{2.5}$ 曝露に対する高感受性者(呼吸器系や循環器

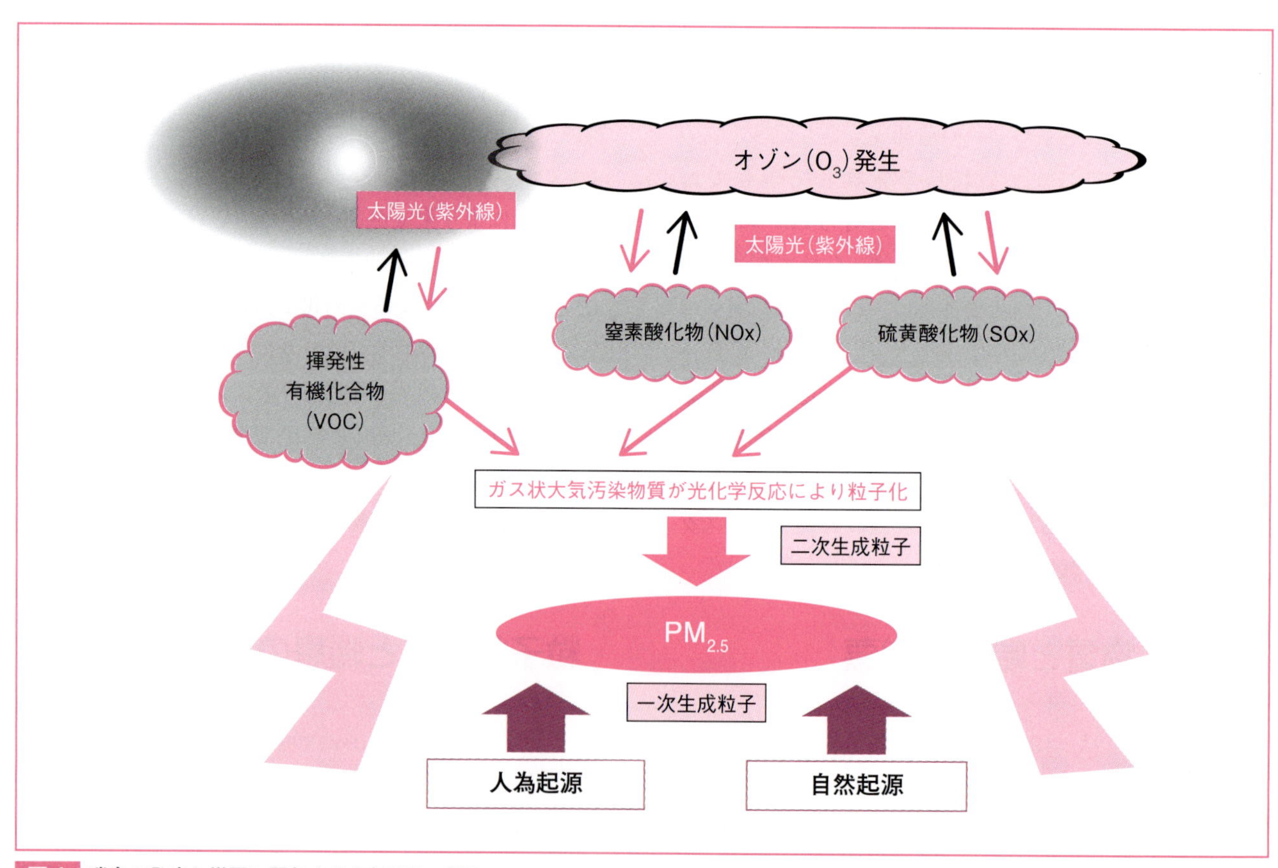

図 1 喘息の発症と増悪に関与する大気汚染の概念

(文献 11 より引用)

系疾患のある者，小児，高齢者）を含む集団についての疫学研究では，$PM_{2.5}$ の日平均値が 69 μg/m^3 を超えると 98％の人に何らかの健康上の影響が現れることが確認されている。具体的には，$PM_{2.5}$ 濃度が高くなると数日以内に喘息による救急受診や入院患者が増加すること[13]，$PM_{2.5}$ の日平均値が 10 μg/m^3 上昇すると小児喘息の入院患者数が約 2％増加すること[14]，1 秒量（FEV_1）は 1 ～ 3.4％低下し[15]，呼気中一酸化窒素濃度（fractional exhaled nitric oxide：FeNO）が 0.46 ～ 6.99ppb 増加することが報告されている[16]。一方，長期曝露に関しては，2012 年に報告された National Health Interview Survey では，$PM_{2.5}$ の年平均濃度が 10 μg/m^3 高いことによる非ヒスパニック系黒人の過去 1 年間の喘息増悪の発現オッズ比は 1.76 と有意に高値であった[17]。

2013（平成 25）年 2 月の $PM_{2.5}$ に関する注意喚起のための暫定的な指針「環境省微小粒子状物質（$PM_{2.5}$）に関する専門家会合報告書」では，日平均値が 70 μg/m^3 を超えると健康影響が出現する可能性が高くなると予想されている。小児喘息や高齢喘息患者では日平均値が 70 μg/m^3 以下であっても短期的な影響が出現する可能性があるため，$PM_{2.5}$ が上昇したときには症状の増悪に注意すべきである。

現在最も注目されている浮遊微小粒子状物質である $PM_{2.5}$ はすべての環境因子と密接に関連しており，特にそのサイズから末梢気道まで到達可能であることから喘息増悪における中心的役割を果たしていると考えられる。喘息患者，特に難治性喘息患者では，$PM_{2.5}$ 濃度の上昇時における日常生活の留意事項として，以下のように対応することで汚染からの曝露を可能な限り減らすことが最も重要である。

① 汚染の激しい日（$PM_{2.5}$ 70 μg/m^3 以上）は汚染状況を逐次確認し，不要不急の外出を避ける。
② 外出する際はマスクを着用する。
③ 屋外での長時間の運動を控える。
④ 帰宅後は手洗いやうがいを徹底する。
⑤ ドアや窓を閉め風が通る隙間をふさぐ。
⑥ 室内では空気清浄機なども機種によっては有効である（フィルターの清掃，交換などをこまめに行う）。

文献

1）厚生労働省．令和 2（2020）年人口動態統計月報年計（概数）の概況．https://www.mhlw.go.jp/toukei/saikin/hw/jinkou/geppo/nengai20/index.html
2）Abe K, Miyawaki A, Nakamura M, et al. Trends in hospitalizations for asthma during the COVID-19 outbreak in Japan. J Allergy Clin Immunol Pract. 2021；9：494-6. e1.
3）Yu HR, Lin CR, Tsai JH, et al. A Multifactorial Evaluation of the Effects of Air Pollution and Meteorological Factors on Asthma Exacerbation. Int J Environ Res Public Health. 2020；17：4010.
4）Guarnieri M, Balmes JR. Outdoor air pollution and asthma. Lancet. 2014；383：1581-92.
5）Perez L, Declercq C, Iñiguez C, et al. Chronic burden of near-roadway traffic pollution in 10 European cities（APHEKOM network）. Eur Respir J. 2013；42：594-605.
6）Yamazaki S, Shima M, Nakadate T, et al. Association between traffic-related air pollution and development of asthma in school children：cohort study in Japan. J Expo Sci Environ Epidemiol. 2014；24：372-9.
7）Seltzer J, Bigby BG, Stulbarg M, et al. O3-induced change in bronchial reactivity to methacholine and airway inflammation in humans. J Appl Physiol. 1986；60：1321-6.
8）Yamazaki S, Shima M, Ando M, et al. Modifying effect of age on the association between ambient ozone and nighttime primary care visits due to asthma attack. J Epidemiol. 2009；19：143-51.
9）Moore K, Neugebauer R, Lurmann F, et al. Ambient ozone concentrations cause increased hospitalizations for asthma in children：an 18-year study in Southern California. Environ Health Perspect. 2008；116：1063-70.
10）Kim KH, Jahan SA, Kabir E. A review on human health perspective of air pollution with respect to allergies and asthma. Environ Int. 2013；59：41-52.
11）金廣有彦．喘息に関連する生活環境．アレルギー．2015；64：1117-26.
12）Cachon BF, Firmin S, Verdin A, et al. Proinflammatory effects and oxidative stress within human bronchial epithelial cells exposed to atmospheric particulate matter（PM（2.5）and PM（> 2.5））collected from Cotonou, Benin. Environ Pollut. 2014；185：340-51.
13）Stieb DM, Szyszkowicz M, Rowe BH, et al. Air pollution and emergency department visits for cardiac and respiratory conditions：a multi-city time-series analysis. Environ Health. 2009；8：25.
14）Atkinson RW, Kang S, Anderson HR, et al. Epidemiological time series studies of $PM_{2.5}$ and daily mortality and hospital admissions：a systematic review and meta-analysis. Thorax. 2014；69：660-5.
15）Delfino RJ, Staimer N, Tjoa T, et al. Personal and ambient air

pollution exposures and lung function decrements in children with asthma. Environ Health Perspect. 2008 ; 116 : 550-8.
16) Patel MM, Chillrud SN, Deepti KC, et al. Traffic-related air pollutants and exhaled markers of airway inflammation and oxidative stress in New York City adolescents. Environ Res. 2013 : 121 : 71-8.
17) Nachman KE, Parker JD. Exposures to fine particulate air pollution and respiratory outcomes in adults using two national datasets : a cross-sectional study. Environ Health. 2012 ; 11 : 25.

C　合併症(併存症)および寄与因子

2　副鼻腔炎

ポイント

- 慢性副鼻腔炎は鼻茸の有無により，鼻茸を合併するフェノタイプ(CRSwNP)と合併しないフェノタイプ(CRSsNP)に分けられる。
- わが国での副鼻腔炎の喘息合併率は，非ECRSの8.9%に対し，ECRSでは41.6%と非常に高率である。
- ECRSは両側の多発性鼻茸と粘稠な鼻漏により高度の鼻閉と嗅覚障害を認める成人発症の易再発性，難治性副鼻腔炎である。
- ECRSは，アスピリン喘息(アスピリン不耐症)を含めた難治性喘息を高率に合併する。
- 好酸球性CRSwNPでは，ILC2を中心とした自然免疫とTh2を中心とした獲得免疫の相互作用により，好酸球が鼻副鼻腔粘膜および鼻茸に集積し好酸球性炎症が形成されるが，これらの機序は難治性喘息の病態と類似しており，合併症例では両疾患を総合的に診断，治療することが重要である。

副鼻腔炎

慢性副鼻腔炎と喘息の合併は以前から指摘されており，難治性喘息との関連や喘息増悪の寄与因子として重要である。気管支喘息における副鼻腔炎の合併率は軽症に比べ重症(難治性)喘息で有意に高く[1]，鼻茸の合併率は喘息が難治化するにつれて上昇する[2]。アスピリン喘息(NSAIDs exacerbated respiratory disease：N-ERD)患者では36～96%に鼻茸が合併することが報告されている[3]。

副鼻腔炎の分類と症状

副鼻腔炎は発症後4週以内に症状が消失する急性副鼻腔炎と12週以上持続する慢性副鼻腔炎に分類されるが，欧米では慢性副鼻腔炎はさらに鼻茸の有無により，鼻茸を合併する群(chronic rhinosinusitis with nasal polyp：CRSwNP)と合併しない群(chronic rhinosinusitis without nasal polyp：CRSsNP)にフェノタイプが分けられている。わが国では，慢性副鼻腔炎［非好酸球性副鼻腔炎(eosinophilic chronic rhinosinusitis：ECRS)］(鼻茸あり／なし)，ECRS(鼻茸あり／なし)，真菌性副鼻腔炎(非破壊性／破壊性／アレルギー性)といった臨床病理学的な分類が使用されてきた。通常の慢性副鼻腔炎(非ECRS)は，鼻副鼻腔粘膜および鼻茸に好中球優位の浸潤を認め，内視鏡下鼻副鼻腔手術(endoscopic endonasal sinus surgery：ESS)とマクロライド系抗菌薬少量長期投与で治癒することが多いが，ECRSでは鼻副鼻腔粘膜や鼻茸に多くの好酸球が浸潤し，マクロライド療法の効果が不十分で，易再発性，難治性であり，近年患者数が増加している。真菌性副鼻腔炎は，周囲組織への浸潤を認めない非侵襲性の真菌症と骨組織の破壊など周囲組織への浸潤を伴う侵襲性の真菌症に分類され，非侵襲性には真菌が副鼻腔粘膜に付着，集落形成し塊状(fungus ball)となる寄生型と，真菌の局所侵入によりアレルギー反応が誘導されるアレルギー性真菌性副鼻腔炎(allergic fungal rhinosinusitis：AFRS)に分類される。

副鼻腔炎の症状は，鼻副鼻腔の炎症による鼻閉，鼻漏，後鼻漏，咳嗽などの呼吸器症状を呈するが，しばしば頭痛，頬部痛，眼部痛や嗅覚障害を伴う。鼻内所見では，膿性，粘膿性あるいは粘性の鼻汁や鼻粘膜腫脹を認め，鼻茸を有する症例も多い。喘息の増悪は，細菌，特にインフルエンザ菌，肺炎球菌，モラクセラ・カタラーリスによる感染による膿性鼻漏を認めるときに起こることが多く，アモキシシリンが第一選択薬である。膿性から粘性鼻漏に変化したらマクロライド系抗菌薬に変更する。

副鼻腔炎と喘息

わが国での副鼻腔炎の喘息合併は，多施設共同大規模疫学研究であるJapanese epidemiological survey of refractory eosinophilic chronic rhinosinusitis study (JESREC Study)の研究において，非ECRSで8.9%，ECRSでは41.6%と非常に高率であることが報告されている[4)]。

現在，さまざまなクラスター解析が行われているが，非好酸球性炎症を呈するフェノタイプではIL-17，IL-22，IFN-γが関与しており，臨床的にはCRSsNPと一致し，このフェノタイプは喘息の合併率は低い[5)]。一方，T2 high(Th2サイトカイン優位の炎症)で，IL-5が発現している好酸球性炎症フェノタイプではCRSwNP優位であり，中等度(< 40%)の喘息合併を認める。さらに黄色ブドウ球菌に対する特異的IgE抗体の発現を認めるフェノタイプはCRSwNPであり，高度(60～70%)の喘息合併を認め，50～65%が頻回の鼻手術を受けている。欧米の報告では，両側のCRSwNPはT2 highのフェノタイプであり，N-ERD，AFRSも同様の炎症パターンを示すが，CRSwNPの10%がN-ERDであった[6)]。近年，黄色ブドウ球菌は粘膜のマスト細胞に発現しており，T2 highの炎症と密接に関連していることが報告されている[7)8)]。

好酸球性副鼻腔炎の機序

ECRSの病態として，CRSwNPではさまざまな病原体により上気道上皮から産生されるTSLP(thymic stromal lymphopoietin)，IL-33，IL-25によりILC2 (innate lymphoid cell type 2)が活性化され，IL-5やIL-13が産生される[9)-11)]。この自然免疫の機序とアレルゲン刺激によるTh2サイトカインを中心とした獲得免疫および自然免疫と獲得免疫の相互作用により，好酸球が鼻副鼻腔粘膜および鼻茸に集積し，好酸球性炎症が形成される可能性が考えられるが，CRSsNPなどほかのフェノタイプを含め詳細はいまだ明らかではない。しかし，これらの機序は気管支喘息，特に難治性喘息の病態と類似しており，炎症の主たる場は上気道と下気道で異なるが，ECRSと喘息との高い合併率はアレルギー性免疫学的機序から説明可能であり，合併症例では両疾患を総合的に診断・治療することが必須である。

好酸球性副鼻腔炎の診断

ECRSは，両側の多発性鼻茸と粘稠な鼻漏により高度の鼻閉と嗅覚障害を認める成人発症の難治性副鼻腔炎で，抗菌薬は無効であり，ステロイド薬の内服にのみ反応する。鼻腔内に鼻茸が充満しており，鼻副鼻腔手術にて鼻茸の摘出を施行してもすぐに再発する。鼻閉と嗅上皮の障害により嗅覚は消失し，嗅覚障害のため風味障害を含めた味覚障害を来す。気管支喘息，特にN-ERDを含めた難治性喘息を合併することが多い。鼻閉のための口呼吸により喘息増悪が誘発されることがある。また，好酸球性中耳炎を合併することもあるが，にかわ状の耳漏に多数の好酸球を認め，難治性であり鼓膜穿孔や聴力障害が進行し聾に至る症例もある。

ECRSは軽症から重症を含めESSを行った場合，術後6年間で50%の症例が再発するが，特にN-ERDを合併したECRSでは術後4年以内に全例再発するといわれている。

診断はJESRECスコア(病側が両側3点，鼻茸2点，CTで篩骨洞優位2点，末梢血好酸球が2%より多く5%以下4点，5%より多く10%以下8点，10%より多い場合10点)で判定されるが，総スコアが11点以上でECRSの可能性が高く，最終診断として鼻茸の生検による病理組織において400倍視野(接眼レンズ22)で検鏡し，3ヵ所の平均好酸球数が70個以上存在した場合に確定診断となる[4)]。中等症，重症のECRSは指定難病に認定されるが，図1のアルゴリズムにより重症度を決定する。重症度分類では，気管支喘息，アスピリン不耐症，NSAIDsアレルギーの合併の有無が重要な項目となっている。また，好酸球性中耳炎を合併している場合は重症となる[4)]。

好酸球性副鼻腔炎合併難治性喘息に対する生物学的製剤

これまで臨床的に効果が認められた薬剤は経口ステロイド薬(oral corticosteroid：OCS)またはOCSと抗ヒスタミン薬との配合薬のみであったが，これらは長期使用により重篤な副作用が出現する可能性が高い。近年，アレルギー性炎症，好酸球性炎症を制御する生物学的製剤が登場し，少なくとも一部の難治性喘息では，喘息の良好なコントロール達成とともにECRSが改善する症例も報告されている。現在，重症のECRSに対しても保険適応［適応症は鼻茸を伴う慢性副鼻腔炎(CRSwNP)］を有するのは，抗IL-4Rα抗体(デュピルマブ)のみである[12)]。海外では抗IgE抗体(オマリズマブ)や抗IL-5抗体(メポリズマブ)も使用されているが，現時点ではデュピルマブの効果がより高いようである[13)14)]。また，臨床試験中の抗IL-5Rα抗体(ベンラリズマブ)を含めて，将来デュピルマブ以外の生物学的製剤の副鼻腔炎に対する適応追加が認められる可能性もある。さらには，抗

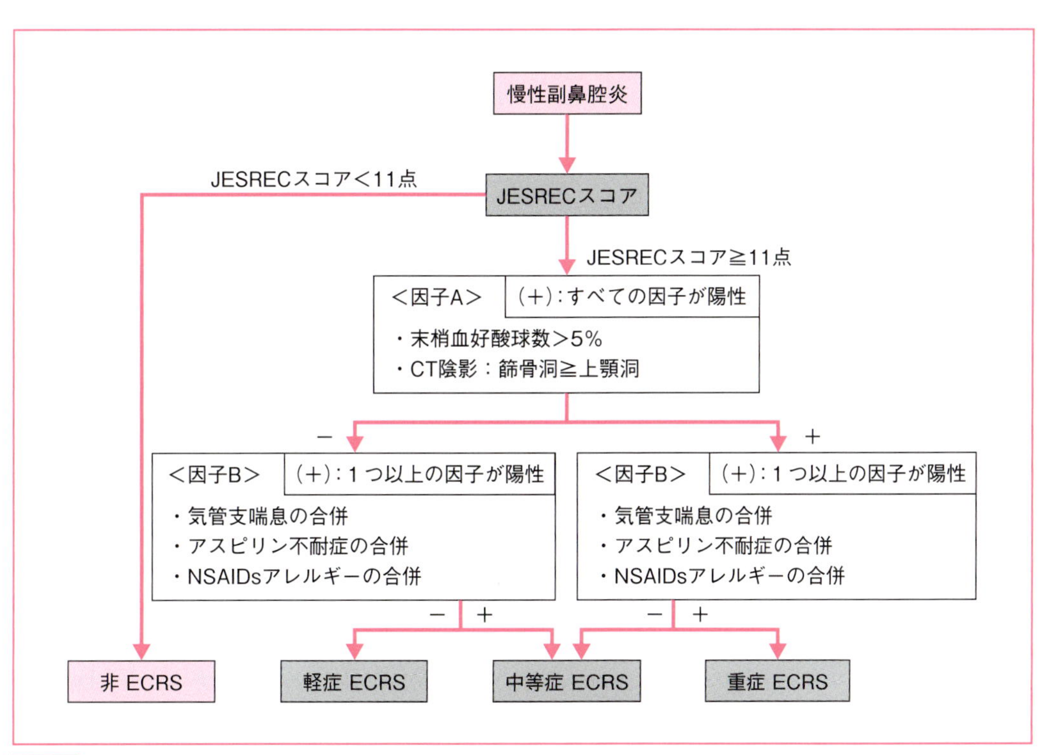

図1 好酸球性副鼻腔炎分類のアルゴリズム

ECRS：好酸球性副鼻腔炎(eosinphilic chronic rhinosinusitis)。

(文献4より引用)

TSLP抗体などもCRSwNP合併難治性喘息に対し臨床効果を認める可能性が考えられ，今後フェノタイプやバイオマーカーを考慮した大規模臨床研究が期待される。

● 文献

1) Guillevin L, Pagnoux C, Mouthon L, et al. Churg-Strauss syndrome. Semin Respir Crit Care Med. 2004；25：535-45.
2) 谷口正実. Churg-Strauss syndrome（アレルギー性肉芽腫性血管炎）. 工藤翔二（監）. 大田 健，一ノ瀬正和（編）. 気管支喘息のすべて．東京：文光堂；2007. pp.358-63.
3) Chaaban MR, Walsh EM, Woodworth BA. Epidemiology and differential diagnosis of nasal polyps. Am J Rhinol Allergy. 2013；27：473-8.
4) Tokunaga T, Sakashita M, Haruna T, et al. Novel scoring system and algorithm for classifying chronic rhinosinusitis；the JESREC Study. Allergy. 2015；70：995-1003.
5) Tomassen P, Vandeplas G, van Zele T, et al. Inflammatory endotypes of chronic rhinosinusitis based on cluster analysis of biomarkers. J Allergy Clin Immunol. 2016；137：1449-56. e4.
6) Rajan JP, Wineinger NE, Stevenson DD, et al. Prevalence of aspirin-exacerbated respiratory disease among asthmatic patients：A meta-analysis of the literature. J Allergy Clin Immunol. 2015；135：676-81.
7) Hayes SM, Howlin R, Johnston DA, et al. Intracellular residency of Staphylococcus aureus within mast cells in nasal polyps：a novel observation. J Allergy Clin Immunol. 2015；135：1648-51.
8) Chalermwatanachai T, Zhang N, Holtappels G, et al. Association of mucosal organisms with patterns of inflammation in chronic rhinosinusitis. PLoS One. 2015；10：e0136068.
9) Ho J, Bailey M, Zaunders J, et al. Group 2 innate lymphoid cells（ILC2s）are increased in chronic rhinosinusitis with nasal polyps or eosinophilia. Clin Exp Allergy. 2015；45：394-403.
10) Lam M, Hull L, Imrie A, et al. Interleukin-25 and interleukin-33 as mediators of eosinophilic inflammation in chronic rhinosinusitis. Am J Rhinol Allergy. 2015；29：175-81.
11) Liao B, Cao PP, Zeng M, et al. Interaction of thymic stromal lymphopoietin, IL-33, and their receptors in epithelial cells in eosinophilic chronic rhinosinusitis with nasal polyps. Allergy. 2015；70：1169-80.
12) Bachert C, Han JK, Desrosiers M, et al. Efficacy and safety of dupilumab in patients with severe chronic rhinosinusitis with nasal polyps（LIBERTY NP SINUS-24 and LIBERTY NP SINUS-52）：results from two multicentre, randomised, double-blind, placebo-controlled, parallel-group phase 3 trials. Lancet. 2019；394：1638-50.
13) Agache I, Song Y, Alonso-Coello P, et al. Efficacy and safety of treatment with biologicals for severe chronic rhinosinusitis with nasal polyps：A systematic review for the EAACI guidelines. Allergy. 2021；76：2337-53.
14) Oykhman P, Paramo FA, Bousquet J, et al. Comparative efficacy and safety of monoclonal antibodies and aspirin desensitization for chronic rhinosinusitis with nasal polyposis：A systematic review and network meta-analysis. J Allergy Clin Immunol. 2022；149：1286-95.

C　合併症(併存症)および寄与因子

3　喫煙／COPD

ポイント

- ☑ 喫煙は受動喫煙も含め気管支喘息の発症，難治化の危険因子である。
- ☑ 喘息患者は長期間の喫煙習慣により COPD を合併するリスクが高い。
- ☑ 喫煙喘息患者ではステロイド薬治療に対する反応性が低下している。
- ☑ 喫煙喘息の気道では好中球性炎症を認める。

はじめに

喫煙は気管支喘息の発症，難治化の危険因子として重要である[1)2)]。喘息患者は一般的な人口集団と比較的近い確率で喫煙を開始・継続しているとされ，本項では，気管支喘息に対する喫煙の影響と慢性閉塞性肺疾患(chronic obstructive pulmonary disease：COPD) を合併した病態について概説する。

喫煙が気管支喘息に与える影響

1. 発症への影響

親の喫煙による受動喫煙との関連性には数多くの報告があり，特に母親の妊娠中の喫煙と受動喫煙は幼児期の喘息の発症リスクを増大させることが知られている[1)]。青年期や成人における能動喫煙についても，用量依存性に喘息発症に関与しているとの報告がある[3)-7)]。さらに，小児喘息あるいは喘息性気管支炎が長期寛解した後，成人になり再燃した症例では現喫煙者が多く，能動喫煙の喘息寛解後の再燃への関与も示唆されている[4)]。

2. 臨床病態への影響

喘息患者における喫煙は，増悪頻度や致死的増悪を増加させ，用量依存性に重症度を悪化させる[8)]。喫煙喘息患者は，非喫煙喘息患者と比較して予定外受診や入院が多く，症状の難治化も伴って QOL が低下し[9)]，死亡率が高いことも報告されている[10)]。

能動喫煙と同様に，受動喫煙は喘息のコントロールおよび重症度に多くの悪影響を及ぼすことが示されており[11)]，成人喘息において受動喫煙の減少により喘息 QOL を改善したとの報告もある[12)]。

さらに，喘息患者は長期間の喫煙習慣を有すると COPD を合併するリスクが高く[13)]，難治化の原因となる(後述)。

3. 呼吸機能への影響

喫煙喘息患者は非喫煙喘息患者と比較して呼吸機能低下率が加速するとの報告が多く，James ら[14)]は男性喫煙喘息患者の1秒量(FEV_1)の低下は，軽喫煙患者で 48 mL/年，重喫煙患者で 54 mL/年(非喫煙喘息患者 40 mL/年)

であったと報告している。さらに喫煙喘息患者の FEV_1 経年変化が，喫煙健常者，非喫煙喘息患者と比較して最も急速に低下していることから，喫煙喘息患者の FEV_1 の低下は喫煙と喘息の両因子の相乗効果によるとしている。

4. ステロイド反応性への影響

喫煙喘息患者は非喫煙喘息患者と比較して，吸入ステロイド薬(inhaled corticosteroid：ICS)および経口ステロイド薬(oral corticosteroid：OCS)による治療反応性が低下しているとの報告が多く，Chalmers ら[15]は，継続喫煙は軽症喘息における短期間のICS治療の有効性を損なうとし，さらにDijkstra ら[16]の報告では，喫煙は長期間のICS治療効果も減弱させることが示されている。

喫煙喘息の病態生理

喫煙喘息患者の誘発喀痰中好中球比率の増加と，その鏡面像として好酸球比率の減少が報告されており[17,18]，気道の好中球数は，呼吸機能の低下率と相関していることも報告され[19]，喫煙によって好中球性炎症が優勢な喘息エンドタイプへの変化が惹起される可能性がある。マトリックスメタロプロテアーゼ(matrix metalloproteinases：MMPs)は気道炎症の調整や修復，リモデリングとの関連性が考えられているが，喫煙喘息患者は非喫煙喘息患者と比較して喀痰中MMPs濃度が上昇しており，MMPs濃度は呼吸機能と負の相関を，喀痰中好中球数と正の相関を認めたとされている[20]。さらに，喘息患者の喫煙はTh1型炎症応答だけでなく，Th2型炎症応答も増強するとされ[21]，Th1/Th2混合炎症応答が喫煙喘息をより難治な喘息フェノタイプとしている可能性がある。

喫煙喘息におけるステロイド抵抗性のメカニズムとして，好中球性炎症は通常ステロイド薬に反応しないため，好中球性炎症優位の喘息エンドタイプが影響している可能性が考えられている[17,18]。ほかの抵抗性メカニズムに，喫煙で惹起された酸化ストレスが，ヒストン脱アセチル化酵素(histone deacetylases：HDAC)／ヒストンアセチル化酵素(histone acetyltransferases：HAT)バランスの偏移を惹起することや[22]，グルココルチコイド受容体 α ：β 比の低下による機序が考えられている[23]。

喘息とCOPD

喘息およびCOPDの両方の特徴を有する疾患群として，2014年にGlobal Initiative for Chronic Obstructive Lung Disease（GOLD）とGlobal Initiative for Asthma（GINA）の合同文書で「喘息とCOPDのオーバーラップ（Asthma and COPD Overlap：ACO）」の名称が提唱された。ACOの有病率は，定義(診断基準)や対象の背景によって大きく異なり，喘息患者においては11.1%～61.0%，COPD患者では4.2%～66.0%との幅広い数字が報告されている[24]。しかし，最も広く用いられているACOの定義を用いたコホート研究からは20～30%と推定されており，これは喘息とCOPD患者の両者において同様である[25]。ACOは喘息やCOPD単独に比べ，より重症例が多く，増悪の重症度や頻度が高く，QOLが低いことが報告されている[26]。

喫煙喘息の治療

1. 禁煙

最も重要なのは禁煙である。禁煙により呼吸機能や喘息症状，喘息QOL，気道過敏性の改善，ステロイド反応性の回復が報告されている[27]。しかし，患者自身は喫煙を重大なリスクと考えていないことが多く，医師は喫煙のリスクについて繰り返し喘息患者に警告し，禁煙介入を行う責任がある。

2. 薬物療法

喫煙喘息ではステロイド反応性の低下が示されているが，長期管理薬は非喫煙喘息と同様にICSが第一選択となる。ただICS単独ではコントロール不十分で，治療step upが必要な場合も多い。ICSと長時間作用性 β_2 刺激薬(long-acting β_2 agonist：LABA)の配合薬(ICS/LABA)は，非喫煙喘息と同様に喫煙喘息においても有用である[28]。

COPD治療に広く用いられている長時間作用性抗コリン薬(long-acting muscarinic antagonist：LAMA)であるチオトロピウム投与で，喘息を合併したCOPD症例の呼吸機能を改善したとの報告があり[29]，今後喫煙喘息を対象とした比較試験が望まれる。

また，ロイコトリエン受容体拮抗薬(leukotriene receptor antagonist：LTRA)は喫煙による効果減弱を認めず，むしろ非喫煙喘息患者に比べ喫煙喘息患者で午前のピークフロー(peak expiratory flow：PEF)値の増加を認めたとの報告[30]や，喫煙喘息に対するモンテルカストの治療効果について検討したランダム化比較試験において，喫煙歴が 11 pack・years を超える患者ではモンテルカスト群のほうがフルチカゾン群よりコントロールが良好な傾向であったとの報告があり[31]，LTRA が喫煙喘息治療に有用である可能性が示唆されている。

3. 喫煙喘息に対する薬物治療の今後

喫煙喘息のステロイド反応性低下に対する治療アプローチとして，Ito ら[32]は *in vivo* で，低用量テオフィリンは HDAC の活性化を介してステロイド反応性を増強するとし，Spears ら[33]は喫煙喘息患者において，ICS に低用量のテオフィリンを追加した結果，呼吸機能や喘息症状が改善したことから，低用量テオフィリンが喫煙喘息のステロイド反応性を回復する可能性が報告されている。また，アジスロマイシンは COPD のみならず好酸球性気道炎症を有する喘息においても増悪抑制効果を有することが報告されている[34)-37)]。ICS と気管支拡張薬を併用しても増悪を繰り返す場合には，マクロライド系抗菌薬が考慮される。

また，ACO において，2 型気道炎症をターゲットにした生物学的製剤が有効な症例が存在すると考えられる[25]。これまで抗 IgE 抗体については，ACO において症状コントロールや QOL の改善，増悪の抑制に寄与したとの報告がある[38,39]。また，抗 IL-5 抗体については，好酸球性炎症のフェノタイプを有する COPD において，増悪抑制効果を認めたとの報告があり[40,41]，ACO での有用性が示唆される。

その他，わが国では承認されていないが，PDE4 阻害薬であるロフルミラストは，慢性気管支炎タイプの増悪歴を有する COPD に対して海外で用いられており，抗炎症効果に基づく増悪抑制効果を有するが，末梢血好酸球数が多い COPD においてより有効性が高いとの報告がある[42]。また，PDE4 阻害薬は気管支喘息に対しても有効な薬剤であるため[43,44]，慢性湿性咳嗽のある ACO においても，増悪の抑制が期待される[25]。

文献

1) 一般社団法人日本アレルギー学会喘息ガイドライン専門部会(監).「喘息予防・管理ガイドライン 2021」作成委員．喘息予防・管理ガイドライン 2021．東京：協和企画；2021.
2) Global Initiative for Asthma (GINA). 2021 GINA Report, Global strategy for asthma management and prevention 2021. https://ginasthma.org/wp-content/uploads/2021/05/GINA-Main-Report-2021-V2-WMS.pdf
3) Chen Y, Dales R, Krewski D, et al. Increased effects of smoking and obesity on asthma among female Canadians：the National Population Health Survey, 1994-1995. Am J Epidemiol. 1999；150：255-62.
4) Strachan DP, Butland BK, Anderson HR. Incidence and prognosis of asthma and wheezing illness from early childhood to age 33 in a national British cohort. BMJ. 1996；312：1195-9.
5) Gilliland FD, Islam T, Berhane K, et al. Regular smoking and asthma incidence in adolescents. Am J Respir Crit Care Med. 2006；174：1094-100.
6) Polosa R, Knoke JD, Russo C, et al. Cigarette smoking is associated with a greater risk of incident asthma in allergic rhinitis. J Allergy Clin Immunol. 2008；121：1428-34.
7) Coogan PF, Castro-Webb N, Yu J, et al. Active and passive smoking and the incidence of asthma in the Black Women's Health Study. Am J Respir Crit Care Med. 2015；191：168-76.
8) Polosa R, Russo C, Caponnetto P, et al. Greater severity of new onset asthma in allergic subjects who smoke：a 10-year longitudinal study. Respir Res. 2011；12：16.
9) Eisner MD, Iribarren C. The influence of cigarette smoking on adult asthma outcomes. Nicotine Tob Res. 2007；9：53-6.
10) Mitchell I, Tough SC, Semple LK, et al. Near-fatal asthma：a population-based study of risk factors. Chest. 2002；121：1407-13.
11) Department of Health and Human Services. The Health Consequences of Involuntary Exposure to Tobacco Smoke：A Report of the Surgeon General. Atlanta：Centers for Disease Control and Prevention；2006.
12) Menzies D, Nair A, Williamson PA, et al. Respiratory symptoms, pulmonary function, and markers of inflammation among bar workers before and after a legislative ban on smoking in public places. JAMA. 2006；296：1742-8.
13) 日本呼吸器学会喘息と COPD のオーバーラップ(Asthma and COPD Overlap：ACO)診断と治療の手引き 2018 作成委員会(編)．喘息と COPD のオーバーラップ(Asthma and COPD Overlap：ACO)診断と治療の手引き 2018．東京：メディカルレビュー社；2017.

14) James AL, Palmer LJ, Kicic E, et al. Decline in lung function in the Busselton health study：the effects of asthma and cigarette smoking. Am J Respir Crit Care Med. 2005；171：109-14.
15) Chalmers GW, Macleod KJ, Little SA, et al. Influence of cigarette smoking on inhaled corticosteroid treatment in mild asthma. Thorax. 2002；57：226-30.
16) Dijkstra A, Vonk JM, Jongepier H, et al. Lung function decline in asthma：association with inhaled corticosteroids, smoking and sex. Thorax. 2006；61：105-10.
17) Boulet LP, Lemière C, Archambault F, et al. Smoking and asthma：clinical and radiologic features, lung function, and airway inflammation. Chest. 2006；129：661-8.
18) Chalmers GW, MacLeod KJ, Thomson L, et al. Smoking and airway inflammation in patients with mild asthma. Chest. 2001；120：1917-22.
19) Stănescu D, Sanna A, Veriter C, et al. Airways obstruction, chronic expectoration, and rapid decline of FEV1 in smokers are associated with increased levels of sputum neutrophils. Thorax. 1996；51：267-71.
20) Chaudhuri R, McSharry C, Brady J, et al. Sputum MMP-12 in COPD and asthma：relationship to disease severity. J Allergy Clin Immunol. 2012；129：655-63.
21) Holgate ST, Polosa R. The mechanisms, diagnosis, and management of severe asthma in adults. Lancet. 2006；368：780-93.
22) Barnes PJ. Mechanisms and resistance in glucocorticoid control of inflammation. J Steroid Biochem Mol Biol. 2010；120：76-85.
23) Livingston E, Darroch CE, Chaudhuri R, et al. Glucocorticoid receptor alpha：beta ratio in blood mononuclear cells is reduced in cigarette smokers. J Allergy Clin Immunol. 2004；114：1475-8.
24) Uchida A, Sakaue K, Inoue H. Epidemiology of asthma-chronic obstructive pulmonary disease overlap（ACO). Allergol Int. 2018；67：165-71.
25) Mekov E, Nuñez A, Sin DD, et al. Update on Asthma-COPD Overlap（ACO）：A Narrative Review. Int J Chron Obstruct Pulmon Dis. 2021；16：1783-99.
26) Nielsen M, Bårnes CB, Ulrik CS. Clinical characteristics of the asthma-COPD overlap syndrome--a systematic review. Int J Chron Obstruct Pulmon Dis. 2015；10：1443-54.
27) Tønnesen P, Pisinger C, Hvidberg S, et al. Effects of smoking cessation and reduction in asthmatics. Nicotine Tob Res. 2005；7：139-48.
28) van Schayck OC, Haughney J, Aubier M, et al. Do asthmatic smokers benefit as much as non-smokers on budesonide/formoterol maintenance and reliever therapy? Respir Med. 2012；106：189-96.
29) Magnussen H, Bugnas B, van Noord J, et al. Improvements with tiotropium in COPD patients with concomitant asthma. Respir Med. 2008；102：50-6.
30) Lazarus SC, Chinchilli VM, Rollings NJ, et al. Smoking affects response to inhaled corticosteroids or leukotriene receptor antagonists in asthma. Am J Respir Crit Care Med. 2007；175：783-90.
31) Price D, Popov TA, Bjermer L, et al. Effect of montelukast for treatment of asthma in cigarette smokers. J Allergy Clin Immunol. 2013；131：763-71.
32) Ito K, Lim S, Caramori G, et al. A molecular mechanism of action of theophylline：Induction of histone deacetylase activity to decrease inflammatory gene expression. Proc Natl Acad Sci U S A. 2002；99：8921-6.
33) Spears M, Donnelly I, Jolly L, et al. Effect of low-dose theophylline plus beclometasone on lung function in smokers with asthma：a pilot study. Eur Respir J. 2009；33：1010-7.
34) Krishnan JK, Voelker H, Connett JE, et al. Effect of daily azithromycin therapy and adherence on readmission risk in COPD. Eur Respir J. 2019；53：1801377.
35) Uzun S, Djamin RS, Kluytmans JA, et al. Azithromycin maintenance treatment in patients with frequent exacerbations of chronic obstructive pulmonary disease（COLUMBUS）：a randomised, double-blind, placebo-controlled trial. Lancet Respir Med. 2014；2：361-8.
36) Albert RK, Connett J, Bailey WC, et al. Azithromycin for prevention of exacerbations of COPD. N Engl J Med. 2011；365：689-98.
37) Gibson PG, Yang IA, Upham JW, et al. Effect of azithromycin on asthma exacerbations and quality of life in adults with persistent uncontrolled asthma（AMAZES）：a randomised, double-blind, placebo-controlled trial. Lancet. 2017；390：659-68.
38) Maltby S, Gibson PG, Powell H, et al. Omalizumab treatment response in a population with severe allergic asthma and overlapping COPD. Chest. 2017；151：78-89.
39) Hanania NA, Chipps BE, Griffin NM, et al. Omalizumab effectiveness in asthma-COPD overlap：post hoc analysis of PROSPERO. J Allergy Clin Immunol. 2019；143：1629-33.
40) Pavord ID, Chanez P, Criner GJ, et al. Mepolizumab for eosinophilic chronic obstructive pulmonary disease. N Engl J Med. 2017；377：1613-29.
41) Criner GJ, Celli BR, Brightling CE, et al. Benralizumab for the prevention of COPD exacerbations. N Engl J Med. 2019；381：1023-34.
42) Martinez FJ, Rabe KF, Calverley PMA, et al. Determinants of response to roflumilast in severe chronic obstructive pulmonary disease. Pooled Analysis of Two Randomized Trials. Am J Respir Crit Care Med. 2018；198：1268-78.
43) Bateman ED, Goehring UM, Richard F, Watz H. Roflumilast

combined with montelukast versus montelukast alone as add-on treatment in patients with moderate-to-severe asthma. J Allergy Clin Immunol. 2016；138：142-9.

44) Kim SW, Kim JH, Park CK, et al. Effect of roflumilast on airway remodelling in a murine model of chronic asthma. Clin Exp Allergy. 2016；46：754-63.

C　合併症(併存症)および寄与因子

4　閉塞性睡眠時無呼吸

ポイント

- 喘息とOSAはそれぞれ有病率が高く，両者の合併頻度も高い。
- 喘息とOSAは双方向性に密接な関連性がある。
- 喘息合併OSAへのCPAP治療は，OSA改善効果だけでなく喘息改善効果がある。

はじめに

喘息と閉塞性睡眠時無呼吸(obstructive sleep apnea：OSA)は呼吸器疾患としてよくみられ，かつ健康状態に重大な影響を与える疾患である。さらに，OSAは喘息の独立した増悪因子であり，喘息の難治化と関連する合併症でもある[1)2)]。本項ではOSAと喘息の関連性について概説する。

疫　学

わが国の成人の喘息有病率は9～10％(2008年)[3)]であるが，一般的にOSAは高年齢層で有病率が高く，30歳以上の地域住民978名を対象とした2006～2008年の疫学調査によると，全体で18.4％，50～54歳：14.4％，60～64歳：17.3％，71～74歳：26.0％と年齢とともに上昇する［男女合わせて。OSAの定義：15≦RDI(respiratory disturbance index)］[4)5)]。

OSAと喘息の関連性について数多くの報告がある。Knuimanら[6)]は，喘息は習慣性のいびきの独立したリスク因子(オッズ比2.8)であるとし，Julienら[7)]はOSAの合併は中等症の喘息患者に比し重症の喘息患者に多いと報告している。両者の合併率に関するsystematic reviewによると，喘息の8～52.6％にOSAを合併するが，難治性喘息では50～95％がOSAを合併しているという研究も報告されており[1)]，OSAと喘息の重症度の間に病態生理学的相互作用のある可能性が示唆されている[7)]。

喘息と閉塞性睡眠時無呼吸の病態生理学的相互作用

OSAにおける睡眠中の上気道の閉塞によって生じる間欠的低酸素が，酸化ストレスを高め，気道炎症を増悪し，交感神経を刺激し，気道収縮を来す[8)]。OSAにおける無呼吸発作時の迷走神経緊張の増加は中枢気道のムスカリン受容体の刺激を誘発し，気管支収縮および夜間喘息増悪を引き起こすことが報告されている[8)9)]。また，低酸素による頸動脈小体への刺激も，反射性気道収縮の原因となると考えられている[10)]。さらに，OSAは喘息における好中球性気道炎症と関連するとの報告があり[11)]，喘息の難治化への影響が考えられる。血管内皮細胞成長因子(vascular endothelial growth factors：VEGF)は低酸素感受性糖タンパク質であり，OSAや喘息で発現が促進され，気道炎症，気道過敏性，血管リモデリングを悪化させる可能性があるが[12)]，明確な結論には至っておらず，今後研究の蓄積が期待される。

OSAでは血清IL-6，TNF-α，CRPなどの炎症性マーカーの上昇から，気道局所だけでなく全身性炎症性変化を来しており[9)]，喘息増悪のリスクが高まる可能性が示唆されている。レプチンは，主に脂肪細胞で合成・分泌され，食欲と代謝の調節を行うペプチドホルモンであるが，OSA患者で高値であることが知られており，その炎症促進作用がOSAの喘息増悪に関連する可能性が考えられている[8)]。

喘息と閉塞性睡眠時無呼吸の治療における関連性

経鼻的持続陽圧呼吸(continuous positive airway pressure：CPAP)は，わが国ではAHI≧20のOSAの標準治療法であるが，喘息合併OSA患者へのCPAP療法による喘息の増悪頻度の減少や，夜間症状スコアの減少，ピークフロー(peak expiratory flow：PEF)値の改善が報告されている[13)14)]。CPAPによる喘息改善効果の機序として，気道抵抗の減少による気道閉塞の改善や，OSAの改善による局所および全身性炎症の改善などが考えられている[13)]。ただし，CPAP使用時の気道内の乾燥が喘息を増悪する可能性があり，加湿器の併用が必要である。

● 文献

1) Davies SE, Bishopp A, Wharton S, et al. The association between asthma and obstructive sleep apnea (OSA)：A systematic review. J Asthma. 2019；56：118-29.
2) Prasad B, Nyenhuis SM, Imayama I, et al. Asthma and Obstructive Sleep Apnea Overlap：What Has the Evidence Taught Us? Am J Respir Crit Care Med. 2020；201：1345-57.
3) Fukutomi Y, Nakamura H, Kobayashi F, et al. Nationwide cross-sectional population-based study on the prevalences of asthma and asthma symptoms among Japanese adults. Int Arch Allergy Immunol. 2010；153：280-7.
4) Yamagishi K, Ohira T, Nakano H, et al. Cross-cultural comparison of the sleep-disordered breathing prevalence among Americans and Japanese. Eur Respir J. 2010；36：379-84.
5) 日本呼吸器学会，厚生労働科学研究費補助金難治性疾患政策研究事業「難治性呼吸器疾患・肺高血圧症に関する調査研究」班(監)．睡眠時無呼吸症候群(SAS)の診療ガイドライン作成委員会(編)．睡眠時無呼吸症候群(SAS)の診療ガイドライン2020．東京：南江堂；2020.
6) Knuiman M, James A, Divitini M, et al. Longitudinal study of risk factors for habitual snoring in a general adult population：the Busselton Health Study. Chest. 2006；130：1779-83.
7) Julien JY, Martin JG, Ernst P, et al. Prevalence of obstructive sleep apnea-hypopnea in severe versus moderate asthma. J Allergy Clin Immunol. 2009；124：371-6.
8) Puthalapattu S, Ioachimescu OC. Asthma and obstructive sleep apnea：clinical and pathogenic interactions. J Investig Med. 2014；62：665-75.
9) Hatipoglu U, Rubinstein I. Inflammation and obstructive sleep apnea syndrome：how many ways do I look at thee? Chest. 2004；126：1-2.
10) Alkhalil M, Schulman E, Getsy J. Obstructive sleep apnea syndrome and asthma：what are the links? J Clin Sleep Med. 2009；5：71-8.
11) Teodorescu M, Broytman O, Curran-Everett D, et al. Obstructive Sleep Apnea Risk, Asthma Burden, and Lower Airway Inflammation in Adults in the Severe Asthma Research Program (SARP) II. J Allergy Clin Immunol Pract. 2015；3：566-75.
12) Simcock DE, Kanabar V, Clarke GW, et al. Proangiogenic activity in bronchoalveolar lavage fluid from patients with asthma. Am J Respir Crit Care Med. 2007；176：146-53.
13) Chan CS, Woolcock AJ, Sullivan CE. Nocturnal asthma：role of snoring and obstructive sleep apnea. Am Rev Respir Dis. 1988；137：1502-4.
14) Alkhalil M, Schulman ES, Getsy J. Obstructive sleep apnea syndrome and asthma：the role of continuous positive airway pressure treatment. Ann Allergy Asthma Immunol. 2008；101：350-7.

C 合併症(併存症)および寄与因子

5 過換気症候群

ポイント

- ☑ **過換気症候群では動脈血ガスの二酸化炭素分圧の著しい低下とアルカローシスが特徴である。気管支喘息は，過換気症状を訴え救急外来を受診する原因として最も多く，鑑別すべき重要な疾患である。**

過換気症候群(hyperventilation syndrome)は，身体的あるいは心理学的ストレスや不安，緊張などが引き金となり，一過性に分時換気量の増大を来し，呼吸性アルカローシスを来す疾患である。症状としては，呼吸困難，軽度のめまい，胸痛，動悸，不安，発汗など多彩であり，空気飢餓感によりさらにパニック状態となり，呼吸困難が強くなる。過換気症候群には一定の診断基準がないが，一般的には器質的疾患がなく，心理的な要因により過換気が誘発される病態を過換気症候群と呼んでいる。したがって，除外診断が重要となる。呼吸器疾患では，気管支喘息のほか，肺炎，間質性肺炎，肺水腫，自然気胸，上気道閉塞などがあり，呼吸器疾患以外では，肺血栓塞栓症，代謝性アシドーシス，急性冠動脈疾患，敗血症などを除外することが必要である。特に気管支喘息は，過換気症状を訴え救急外来を受診する原因として最も多いと報告されている[1)-3)]。

喘息増悪における過換気症状では，SpO_2 の低下や聴診による wheezes の聴取などの喘息に特徴的な異常所見があれば診断は容易であるが，喘息増悪が軽症の場合では，これらの異常所見が明らかでなく過換気症候群との鑑別が困難である。さらに，喘息患者に過換気症候群が併存することもあり[1)4)]，過換気症候群は，喘息症状を悪化，遷延させる一因となり，また，頻回の増悪やQOL の低下に関与する[4)]。

治療として，生命にかかわる病態にないことを説明して不安を軽減することが重要であり，補助的に抗不安薬を用いる場合もある。紙バッグを用いた呼吸法は，低酸素血症の危険もあり現在では推奨されない。繰り返す場合は，パニック障害や不安障害などとのオーバーラップがあるため，精神科などへの紹介が必要な場合もある。

● 文献

1) 大倉隆介，小縣正明．救急外来における過換気症候群の臨床的検討．日救急医会誌．2013；24：837-46.
2) Demeter SL, Cordasco EM. Hyperventilation syndrome and asthma. Am J Med. 1986；81：989-94.
3) Saisch SG, Wessely S, Gardner WN. Patients with acute hyperventilation presenting to an inner-city emergency department. Chest. 1996；110：952-7.
4) Dafauce L, Romero D, Carpio C, et al. Psycho-demographic profile in severe asthma and effect of emotional mood disorders and hyperventilation syndrome on quality of life. BMC Psychol. 2021；9：3.

C　合併症(併存症)および寄与因子

6　胃食道逆流症

ポイント

- 気管支喘息ではGERDの合併がきわめて多く，GERDは喘息のコントロール不良や増悪の重要なリスク因子である。
- 喘息治療薬であるβ_2刺激薬やSRT，OCSはGERD症状を悪化させることがあり，その使用には注意を要する。
- 喘息コントロールが不良な喘息患者でGERD症状を認めない場合には，PPIは喘息症状や呼吸機能に対する有効性は乏しい。

胃食道逆流症(gastro-esophageal reflux disease：GERD)は気管支喘息患者の30～80%に合併しており[1]，GERDは喘息増悪の重要なリスク因子と考えられている［オッズ比4.9(95%CI：1.4-17.8)］[2]。両者は相互に関与し，喘息コントロールが不良で喘息症状を呈する場合はGERD症状も増加することが知られている。また，GERDは慢性咳嗽の主要な原因の1つでもある[3]。Severe Asthma Research Project-3ではGERDを合併した難治性喘息患者の増悪頻度のrate ratioは1.6(95%CI：1.3-2.0)と報告されている[4]。GERDが喘息の難治化や増悪に及ぼす機序として，①胃液のマイクロアスピレーションが気道炎症や呼吸器症状，肺障害を引き起こす[5)6]，②胃酸が下部食道に逆流することにより迷走神経が刺激され(副交感神経優位)，気管支収縮や呼吸器症状が出現することが考えられている[7)8]。さらに，喘息患者における気管支収縮や肺過膨張は，胸腹部の圧格差の変動や胃から食道への逆流防止機構である下部食道括約筋(lower esophageal sphincter：LES)のトーンを変化させることにより，胃酸の逆流を誘発することが考えられる[9]。喘息の治療薬であるβ_2刺激薬やテオフィリン徐放製剤(sustained-release theophylline：SRT)，経口ステロイド薬(oral corticosteroid：OCS)はGERD症状を悪化させることがあり，その使用には注意を要する。

GERDは，過半数を占める逆流症状のみを呈する非びらん性胃食道逆流症(non-erosive reflux disease：NERD)と，粘膜障害を有する逆流性食道炎(びらん性胃食道逆流症)に分けられる。食の欧米化やGERDの認識率向上により日本人のGERDの有病率は増加している[10]が，喘息患者ではGERDによる食道外症状にも注意する必要があり，胸部圧迫感や不快感，胸痛，咳嗽などはGERD症状の可能性がある。また，高脂肪食，チョコレート，カフェイン，アルコールなど特定の食品を摂取した後に出現する喘息症状はGERDによる可能性も考慮する必要があり，これらの食品は気管支拡張薬と同様に下部食道括約筋圧を低下させうる。

GERDにはプロトンポンプ阻害薬(proton pump inhibitor：PPI)が有効であるが，喘息患者を対象としたPPIの臨床試験では喘息に対する有用性は一定していない。GERDを合併した中等症から重症(難治性)喘息患者に対してPPIは呼吸機能や喘息関連のQOLを改善させたが，これらの改善は軽度であり，臨床的意義は限定的であったと報告されている[11]。また，喘息コントロールが不良な喘息患者のなかでGERD症状がない場合にはPPIは喘息コントロールを改善しなかったが，これは逆流症状がないGERDは喘息のコントロール不良の原因とはならない，あるいはPPIは胃酸以外の逆流には効果がないことを示唆している[12]。さらに，コントロール不良の喘息患者を対象としたランダム化比較試験ではPPIは喘息症状も呼吸機能も改善せず，呼吸器感染の増加と関連していたことが報告されている[13]。最新のGERDを合併した喘息患者のメタ解析では，GERD症状があってもあるいは12週間以上治療してもPPIは朝のピークフロー(peak expiratory flow：PEF)を有意に改善せず，GERDを合併した喘息患者に対するPPIのempiricな治療は推奨しないとしている[14]。しかしながら，日常診療では中等症以上の喘息でGERD症状を有する場合にはフェノタイプ・エンドタイプを考慮して治療方針を決定する必要がある。まずGERDに対する生活習慣の改善は必須であり，肥満者では過食や高脂肪食の回避，体重減少に取り組み，就寝前3時間以内の食事を避け，さらに逆流防止のため仰臥位を取らないなどの対処を行うことが重要である。エビデンスは乏しいが，“Treatable traits approach/Precision Medicine”としてPPIの服用にて個々の症例で症状の改善やステロイド薬の減量効果，またPEFの20%改善などの臨床効果が認められれば，投与継続も考慮する。PPIが有効でなければ，モサプリドなど消化管運動賦活薬，漢方薬(六君子湯)，アルギン酸塩(アルロイドG内用液)の併用にて効果が得られることもある。

また，肥満，閉塞性睡眠時無呼吸(obstructive sleep apnea：OSA)はGERDと同様に喘息の合併率が高いが，これらの疾患はいずれも気道炎症に関与し，複雑な機序で相互に影響を及ぼし喘息の増悪やコントロール低下の重大な要因となっている[15]。喘息とこれらの3合併症を良好に管理することは，喘息の症状やコントロールの改善に相乗的効果を示すのみでなく，ほかの合併症に対しても有用と考えられる。

文献

1) Sandur V, Murugesh M, Banait V, et al. Prevalence of gastro-esophageal reflux disease in patients with difficult to control asthma and effect of proton pump inhibitor therapy on asthma symptoms, reflux symptoms, pulmonary function and requirement for asthma medications. J Postgrad Med. 2014；60：282-6.
2) ten Brinke A, Sterk PJ, Masclee AA, et al. Risk factors of frequent exacerbations in difficult-to-treat asthma. Eur Respir J. 2005；26：812-8.
3) Kahrilas PJ, Altman KW, Chang AB, et al. Chronic cough due to gastroesophageal reflux in adults：CHEST Guideline and Expert Panel Report. Chest. 2016；150：1341-60.
4) Denlinger LC, Phillips BR, Ramratnam S, et al. Inflammatory and comorbid features of patients with severe asthma and frequent exacerbations. Am J Respir Crit Care Med. 2017；195：302-13.
5) Raghavendran K, Nemzek J, Napolitano LM, et al. Aspiration-induced lung injury. Crit Care Med. 2011；39：818-26.
6) Tuchman DN, Boyle JT, Pack AI, et al. Comparison of airway responses following tracheal or esophageal acidification in the cat. Gastroenterology. 1984；87：872-81.
7) Wright RA, Miller SA, Corsello BF. Acid-induced esophagobronchial-cardiac reflexes in humans. Gastroenterology. 1990；99：71-3.
8) Wu DN, Tanifuji Y, Kobayashi H, et al. Effects of esophageal acid perfusion on airway hyperresponsiveness in patients with bronchial asthma. Chest. 2000；118：1553-6.
9) Zerbib F, Guisset O, Lamouliatte H, et al. Effects of bronchial obstruction on lower esophageal sphincter motility and gastroesophageal reflux in patients with asthma. Am J Respir Crit Care Med. 2002；166：1206-11.
10) Fujiwara Y, Arakawa T. Epidemiology and clinical characteristics of GERD in the Japanese population. J Gastroenterol. 2009；44：518-34.
11) Kiljander TO, Junghard O, Beckman O, et al. Effect of esomeprazole 40 mg once or twice daily on asthma：a randomized, placebo-controlled study. Am J Respir Crit Care Med. 2010；181：1042-8.
12) Mastronarde JG, Anthonisen NR, Castro M, et al. Efficacy of esomeprazole for treatment of poorly controlled asthma. N Engl J Med. 2009；360：1487-99.
13) Holbrook JT, Wise RA, Gold BD, et al. Lansoprazole for children with poorly controlled asthma：a randomized controlled trial. JAMA. 2012；307：373-81.
14) Zheng Z, Luo Y, Li J, et al. Randomised trials of proton pump inhibitors for gastro-oesophageal reflux disease in patients with asthma：an updated systematic review and meta-analysis. BMJ Open. 2021；11：e043860.
15) Althoff MD, Ghincea A, Wood LG, et al. Athma and three

colinear comorbidities：obesity, OSA, and GERD. J Allergy Clin Immunol Pract. 2021；9：3877-84.

第4章
難治性喘息鑑別のための評価

C 合併症(併存症)および寄与因子

7　薬剤

ポイント

- アスピリン喘息は成人喘息の5～10%にみられ，喘息の難治化因子として知られている。
- アスピリン喘息患者への酸性NSAIDs投与は禁忌であり，またステロイド薬の急速静脈注射は避けるべきである。
- 喘息と心不全合併例でβ遮断薬の有益性が高いと判断された場合にはβ_1選択性の高い薬剤を選択することが望ましいが，適切な喘息管理がなされていてもβ遮断薬使用は必ずしも安全とはいえない。

アスピリン喘息(AERD/N-ERD)

アスピリン喘息はシクロオキシゲナーゼ-1(cyclooxygenase：COX-1)阻害作用をもつ酸性非ステロイド性抗炎症薬(nonsteroidal anti-inflammatory drugs：NSAIDs)により強い気道狭窄症状を呈する非アレルギー性の過敏症(不耐症)である[1)-3)]。これまでアスピリン喘息と呼ばれてきたが，鼻閉，流涙や全身症状なども伴うため，近年では国際的にaspirin-exacerbated respiratory disease(AERD)あるいはNSAIDs-exacerbated respiratory disease(N-ERD)という呼称が主流である。

AERDの病態はCysLTの過剰産生体質が特徴的であり，気道におけるCOX-2機能の低下とプロスタグランジンE2(prostaglandin E2：PGE2)受容体であるEP2受容体の機能低下やマスト細胞の持続的活性化，グループ2自然リンパ球(group 2 innate lymphoid cell：ILC2)の鼻茸病変への関与などが指摘されている。

本症は5～10%の成人喘息(発症年齢は20～40歳台が多い)にみられ，男女比は1：2で女性に多く，10歳以下の小児はまれである[1)-4)]。アレルギー素因はないことが多く，喘息の難治化因子として知られている[5)]。典型例ではNSAIDs投与後1時間以内に鼻閉，鼻汁，喘息増悪症状が出現し，顔面紅潮，眼結膜充血を伴うことが多いが，消化器症状や蕁麻疹などを認める症例もある。鼻茸を伴う好酸球性副鼻腔炎(eosinophilic chronic rhinosinusitis：ECRS)を高率に合併し，再発を繰り返す鼻茸と嗅覚異常が特徴的である。診断には問診が重要であり，①NSAIDs使用歴とそれに伴う誘発反応，②嗅覚障害や後鼻漏の有無，③鼻茸や副鼻腔炎の既往・手術歴を必ず確認する。確定診断はアスピリン内服負荷試験によるが，増悪する可能性が高く専門施設において入院下での施行が推奨される[1)3)]。

過敏症状は，NSAIDsの注射薬，坐薬，内服薬の順に出現が早く重篤であるが，貼付薬や塗布薬，点眼薬などの外用薬でも発現することがあるので注意を要する。アセトアミノフェンは比較的安全であるが少量での投与が望ましく，日本人では300mg/回以下にすべきである[1)]。選択的COX-2阻害薬セレコキシブは安全性が高いが，難治性かつ不安定症例ではまれに増悪し得る(添付文書上はアスピリン喘息禁忌の記載があるため，使用にあたっては患者への十分な説明と同意が必要である)。漢方薬の葛根湯やペンタゾシンは安全である[1)-3)]。長期管理は通常の喘息と同様であるが，重症N-ERDでは抗IgE抗体製剤オマリズマブが有効である[6)]。ロイコトリエン受容体拮抗薬(leukotriene receptor antagonist：LTRA)併用は鼻副鼻腔炎症状を改善し，アスピリン誘発反応も部分的に抑制するが効果は十分でない[7)]。急性増悪時の注意点として，注射用ステロイド薬についてはコハク酸エステル型ステロイド薬(サクシゾン®，ソル・コーテフ®，ソル・メドロール®，水溶性プレドニン®など)の急速静注は喘息増悪の重篤化につながる可能性が高く，禁忌である。リン酸エステル型ステロイド薬(ハイドロコートン，リンデロン®，デカドロン®など)が推奨されるがほとんどの薬剤に添加物が含まれており，急速静注では増悪の危険性があるため1～2時間以上かけての点滴投与が望ましい[1)]。内服のプレドニゾロンは安全性が高い。

合併する高血圧，心不全への薬物投与

気管支喘息患者に併発する高血圧症に対してβ遮断薬は禁忌であり，基本的にβ遮断薬および$\alpha\beta$遮断薬は使用しないこととされている。また，ACE阻害薬は空咳の副作用があるため慢性的な咳症状の原因となりうることより，喘息による咳と区別が難しい場合があり喘息患者では推奨できないとされている。Ca拮抗薬，アンジオテンシンⅡ受容体拮抗薬(ARB)，少量の利尿薬は使用可能である。

喘息と心不全合併例では，β遮断薬の有益性が高いと判断された場合にはβ_1選択性の高い薬剤を選択することが望ましく[8)]，かつ中止しないほうがよいとされる[9)]。ただし，適切な喘息管理がなされていてもβ遮断薬使用は必ずしも安全とはいえない。抗コリン薬は心不全患者の呼吸困難や呼吸機能を改善させることが報告されている[10)]。アミノフィリンやテオフィリン製剤は心臓喘息やうっ血性心不全に保険適応はあるが，心不全患者ではテオフィリンのクリアランスが低下しているため血中濃度の上昇には注意を要する。また，全身性ステロイド薬やβ_2刺激薬は心不全を発症，悪化させることがある。

● 文献

1) Taniguchi M, Mitsui C, Hayashi H, et al. Aspirin-exacerbated respiratory disease (AERD)：Current understanding of AERD. Allergol Int. 2019；68：289-95.
2) White AA, Stevenson DD. Aspirin-exacerbated respiratory disease. N Engl J Med. 2018；379：1060-70.
3) Kowalski ML, Agache I, Bavbek S, et al. Diagnosis and management of NSAIDs-exacerbated respiratory disease (N-ERD)- a EAACI position paper. Allergy. 2019；74：28-39.
4) Berges-Gimeno MP, Simon RA, Stevenson DD. The natural history and clinical characteristics of aspirin-exacerbated respiratory disease. Ann Allergy Asthma Immunol. 2002；89：474-8.
5) Fukutomi Y, Taniguchi M, Tsuburai T, et al. Obesity and aspirin intolerance are risk factors for difficult-to-treat asthma in Japanese non-atopic women. Clin Exp Allergy. 2012；42：738-46.
6) Hayashi H, Fukutomi Y, Mitsui C, et al. Omalizumab for aspirin hypersensitivity and leukotriene overproduction in aspirin-exacerbated respiratory disease. A Randomized controlled trial. Am J Respir Crit Care Med. 2020；201：1488-98.
7) Ramírez-Jiménez F, Vázquez-Corona A, Sánchez-de la Vega Reynoso P, et al. Effect of LTRA in L-ASA challenge for aspirin-exacerbated respiratory disease diagnosis. J Allergy Clin Immunol Pract. 2021；9：1554-61.
8) Morales DR, Jackson C, Lipworth BJ, et al. Adverse respiratory effect of acute β-blocker exposure in asthma：a systematic review and meta-analysis of randomized controlled trials. Chest. 2014；145：779-86.
9) Bond RA, Spina D, Parra S, et al. Getting to the heart of asthma：can "beta blockers" be useful to treat asthma? Pharmacol Ther. 2007；115：360-74.
10) Kindman LA, Vagelos RH, Willson K, et al. Abnormalities of pulmonary function in patients with congestive heart failure, and reversal with ipratropium bromide. Am J Cardiol. 1994；73：258-62.

C 合併症（併存症）および寄与因子

8 好酸球性多発血管炎性肉芽腫症

ポイント

- 成人発症の難治性喘息で，末梢血好酸球増多が目立ち，副鼻腔炎や好酸球性肺炎を合併している場合，EGPA が存在する可能性を念頭に置き，四肢末梢のしびれ感の問診や MPO-ANCA 測定を行う。
- 多発性単神経炎を 90％以上で認める。MPO-ANCA の陽性率は 30 ～ 40％で，陰性でも EGPA を否定できない。
- 心病変は予後規定因子であり，自覚症状がなくとも約半数に合併するため，ルーチンで精査する。
- 劇症型を疑う場合，病理診断にこだわらず，早期に治療を開始する。
- 治療は全身性ステロイド薬とシクロホスファミドを主体とする。ステロイド抵抗性の神経障害には免疫グロブリン大量療法の適応がある。抗 IL-5 抗体は EGPA に保険適用があり，難治例やステロイド減量が困難な例での使用が推奨される。

概念・疫学

好酸球性多発血管炎性肉芽腫症（eosinophilic granulomatosis with polyangiitis：EGPA）は，喘息やアレルギー性鼻炎，好酸球性副鼻腔炎（eosinophilic chronic rhinosinusitis：ECRS）が先行し，多発性単神経炎などの血管炎症状で発症する疾患である[1)2)]。以前は Churg-Strauss syndrome（CSS）と呼ばれていたが，2012 年に EGPA と名称変更された[1)2)]。2015 年 1 月に，国の医療費助成対象疾病（指定難病）となっている。

わが国の成人喘息における EGPA の頻度は，男性では 0.2％，女性では 0.5％と女性に多く，ほとんどが 45 歳以上である[3)]。小児では少数の症例報告しかない。わが国での 10 年生存率は 83.7％，20 年生存率は 68.6％とされ，予後は比較的良好である[4)]。

臨床像

先行する喘息は，大部分が成人発症で，喘息発症時から難治性で好酸球増多が目立つ症例が多い[5)]。気道過敏性はむしろ軽微とされるが[6)]，EGPA が寛解しても固定性気流閉塞を呈しやすい[7)]。血管炎発症前にアトピー素因を認めるのは半数以下である[8)9)]。

先行する上気道病変はアスピリン喘息（NSAIDs-exacerbated respiratory disease：N-ERD）に類似し，

ECRSを70～80％に認め，嗅覚障害を呈しやすく，約半数で好酸球性中耳炎も認める[10)11)]。

典型例では，喘息が先行し，経過中に好酸球増多，好酸球性肺炎や喘息の難治化を認め，さらに全身性血管炎を発症する[5)12)13)]。好酸球増多と血管炎症状から発症し，後に喘息症状が出現する症例も存在する。また，末梢神経炎や好酸球増多を認めない症例も少数存在する。喘息発症から血管炎発症までの期間は，数年以内が典型的であるが，10～20年以上を経る症例もある。

血管炎症状としては，四肢末梢のしびれや，筋力低下などの多発性単神経炎症状を90％以上の症例で認める[12)-14)]。その他，発熱や筋肉痛，体重減少に加えて，半数程度に紫斑などの皮膚症状，心病変や消化管病変を伴う[12)-14)]。心病変は，胸痛などの症状を有する例では，約80％で心臓超音波検査での異常所見を認める[15)]。一方，無症状例でも約半数で異常所見を認めるため[15)]，症状によらず心病変の精査を行う必要がある。血管炎発症後数週間で，虚血による致死的な消化管障害や心障害を呈する劇症型も数％存在する。

成人発症の難治性喘息における，EGPA診断のポイントをまとめると，アトピー素因が強くないが，末梢血好酸球増多が目立ち，好酸球性肺炎やECRSを合併している例では，潜在的なEGPAの存在を念頭に置き，手足のしびれや筋力低下，ほかの臓器症状に留意して問診を行う。血清中の抗好中球細胞質ミエロペルオキシダーゼ抗体(myeloperoxidase anti neutrophil cytoplasmic antibody：MPO-ANCA)は30～47％で陽性となり，ANCA陽性のEGPAは末梢神経障害や腎障害が多いが，ANCA陰性では心障害が多いとされる[16)]。

診断基準と予後不良因子

EGPAの診断基準には，1990年の米国リウマチ学会(American College of Rheumatology：ACR)の基準(表1)[17)]と，わが国の1998年厚生労働省難治性血管炎分科会の診断基準(表2)[2)]がある。いずれも，当時はCSSの診断基準として記載されている。

ACRの基準では，病理所見は必須ではなく，6項目中4項目を満たせば，感度85％，特異度99.7％でEGPAと診断される。わが国の診断基準は，臨床所見のみの場合にはCSSとし，組織学的所見が得られた場合にはアレルギー性肉芽腫性血管炎(allergic granulomatous angiitis：AGA)とする点が特徴的である。

ACRの病理診断基準は緩く，血管炎所見がなくても血管外組織への好酸球浸潤があればEGPAとしている。血管炎症状が急速に進行する劇症型では，致死的となりうるため，血管炎の病理所見がなくとも，臨床診断で早期に治療を開始すべきである。

検査値では，好酸球数増多やCRP上昇に加え，虚血を反映するLDHやCKの上昇，血清総IgE値やIgG4の増加，リウマチ因子陽性，血小板数増加を認める[13)]。抗好中球細胞質抗体であるMPO-ANCAの陽性率は，30～40％にとどまるため[6)7)9)18)19)]，陰性であってもEGPAは否定できない。MPO-ANCA陽性例では，腎病変，皮疹の頻度が高く，陰性例では心病変の頻度が高いとされている[18)19)]。抗好中球細胞質プロテイナーゼ3抗体(serine proteinase-anti-neutrophil cytoplasmic antibody：PR3-ANCA)の陽性率は10％以下である[12)-14)]。

5項目からなる予後不良因子(five-factor score：FFS)の有用性が報告されており(表3)[20)]，FFS≧2点では5年生存率が約60％と低いため，免疫抑制薬を含めた強力な治療を要することが示唆される。

治　療

重要な点は，生命予後にかかわる心障害や消化管障害を見逃さずに早期治療を行うことである[13)]。全身性ステロイド薬を基本とし，重症例，ステロイド薬の効果が不十分な例，消化管障害や心障害を有する例では，免疫抑

表1　ACR分類基準

・喘息(または気管支喘鳴の既往，呼気における高調性の連続性ラ音)
・末梢血好酸球増多(白血球分画で10％以上)
・単神経炎，多発単神経炎，またはポリニューロパチー
・胸部X線における遊走性または一過性の斑状影
・副鼻腔の異常
・生検所見にて血管周囲の好酸球浸潤

4項目以上でCSSと診断。
Masi AT, et al., Arthritis Rheum© John Wiley and Sons.
(文献17より引用)

表 2 厚生労働省難治性血管炎分科会診断基準

概念

Churg-Strauss が古典的 PN より分類独立させた血管炎であり，喘息，好酸球増加，血管炎による症状を示すものを Churg-Strauss 症候群，典型的組織所見を伴うものをアレルギー性肉芽腫性血管炎とする。

診断基準

1. 主要臨床所見
  1) 気管支喘息あるいはアレルギー性鼻炎
  2) 好酸球増加
  3) 血管炎による症状［発熱(38℃以上，2 週間以上)，体重減少(6 ヵ月以内に 6kg 以上)，多発性単神経炎，消化器出血，紫斑，多関節痛(炎)，筋肉痛，筋力低下］
2. 臨床経過の特徴
  主要臨床所見 1)，2) が先行し，3) が発症する。
3. 主要組織所見
  1) 周囲組織に著明な好酸球浸潤を伴う細小血管の肉芽腫性，またはフィブリノイド壊死性血管炎の存在
  2) 血管外肉芽腫の存在
4. 判定
  1) 確実(definite)
    a) 主要臨床所見のうち喘息あるいはアレルギー性鼻炎，好酸球増加および血管炎による症状のそれぞれ 1 つ以上を示し，同時に主要組織所見の 1 項目以上を満たす場合(アレルギー性肉芽腫性血管炎)
    b) 主要臨床所見 3 項目を満たし，臨床経過の特徴を示した場合(Churg-Strauss 症候群)
  2) 疑い(probable)
    a) 主要臨床所見 1 項目および主要組織所見の 1 項目を満たす場合(アレルギー性肉芽腫性血管炎)
    b) 主要臨床所見 3 項目を満たすが，臨床経過の特徴を示さない場合(Churg-Strauss 症候群)
5. 参考となる検査所見
  1) 白血球増加(10,000/μL 以上)
  2) 血小板数増加(40 万 /μL 以上)
  3) 血清 IgE 増加(600U/mL 以上)
  4) MPO-ANCA 陽性
  5) リウマトイド因子陽性
  6) 肺浸潤陰影
  (これらの所見はすべての例に認められるとは限らない)
6. 参考事項
  1) ステロイド未治療例では末梢血好酸球は 2,000μg/mL 以上の高値を示すが，ステロイド薬投与後はすみやかに正常化する。
  2) 喘息はアトピー型とは限らず，重症例が多い。喘息の発症から血管炎の発症までの期間は 3 年以内が多い。
  3) 胸部 X 線所見は結節性陰影，びまん性陰影など多彩である。
  4) 肺出血，間質性肺炎を示す例もみられる。
  5) 血尿，蛋白尿，急速進行性腎炎を示す例もみられる。
  6) 血管炎症候寛解後にも喘息が持続する例がかなりある。
  7) 多発性単神経炎は後遺症が持続する例がかなりある。

(文献 2 より引用改変)

表 3 Five-Factor Score (FFS)

1. 高齢(>65 歳)
2. 心症状
3. 消化管病変
4. 腎機能低下(Cr>1.5 mg/dL)
5. 上気道(耳・鼻・咽頭)病変がない

各項目を満たす場合を 1 点として，該当項目を合計してスコアとする。
(文献 20 より引用)

制薬を併用する[2)14)21)]。軽症例でも，免疫抑制薬はステロイド薬単独治療中の再燃を抑制できる可能性が示唆されている。全身性ステロイド薬は通常 1 年間以上継続する必要があり，中止できない症例も多い[22)]。

EGPA で用いられる免疫抑制薬は，シクロホスファミドが主体となる。連日経口投与法と，月 1 回の静注法があり，効果はほぼ同等とされている。連日経口投与のほうが総投与量は多く，脱毛，好中球減少，出血性膀胱

炎などの発現率が高いが，月１回静注法では再燃のリスクがやや高くなる。アザチオプリンが用いられることもある。これらの治療にも抵抗する末梢神経障害や心障害に対しては，免疫グロブリン大量療法を考慮する[23]。

わが国で保険適用外の薬剤については，メトトレキサート，シクロスポリン，IFN-α，リツキシマブなどが用いられることもある。抗IgE抗体であるオマリズマブによるステロイド減量効果が示唆されているが，報告は症例集積研究のみである[24]。一方，抗IL-5抗体であるメポリズマブは，300mg/回投与が二重盲検比較試験で検討され，ステロイド減量中の寛解維持率が有意に高いことが示され[25]，わが国では保険適用となっており，難治例やステロイド減量が困難な例では，メポリズマブの併用が推奨される。

● 文献

1) Jennette JC, Falk RJ, Bacon PA, et al. 2012 revised International Chapel Hill Consensus Conference Nomenclature of Vasculitides. Arthritis Rheum. 2013；65：1-11.
2) 尾崎承一，槇野博史，松尾清一(編). ANCA関連血管炎の診療ガイドライン. 2011. https://minds.jcqhc.or.jp/docs/minds/ANCA/anca.pdf
3) 福冨友馬，谷口正実，粒来崇博，他. 本邦における病院通院成人喘息患者の実態調査　国立病院機構ネットワーク共同研究. アレルギー. 2010；59：37-46.
4) Tsurikisawa N, Oshikata C, Kinoshita A, et al. Longterm Prognosis of 121 Patients with Eosinophilic Granulomatosis with Polyangiitis in Japan. J Rheumatol. 2017；44：1206-15.
5) D'Cruz DP, Barnes NC, Lockwood CM. Difficult asthma or Churg-Strauss syndrome? BMJ. 1999；318：475-6.
6) Tsurikisawa N, Tsuburai T, Saito H, et al. A retrospective study of bronchial hyperresponsiveness in patients with asthma before the onset of Churg-Strauss syndrome. Allergy Asthma Proc. 2007；28：336-43.
7) Cottin V, Khouatra C, Dubost R, et al. Persistent airflow obstruction in asthma of patients with Churg-Strauss syndrome and long-term follow-up. Allergy. 2009；64：589-95.
8) Hayakawa H, Sato A, Yagi T, et al. Clinical features and prognosis of Churg-Strauss syndrome. Nihon Kyobu Shikkan Gakkai Zasshi. 1993；31：59-64.
9) Bottero P, Bonini M, Vecchio F, et al. The common allergens in the Churg-Strauss syndrome. Allergy. 2007；62：1288-94.
10) Pagnoux C, Wolter NE. Vasculitis of the upper airways. Swiss Med Wkly. 2012；142：w13541.
11) Bacciu A, Bacciu S, Mercante G, et al. Ear, nose and throat manifestations of Churg-Strauss syndrome. Acta Otolaryngol. 2006；126：503-9.
12) Guillevin L, Pagnoux C, Mouthon L. Churg-strauss syndrome. Semin Respir Crit Care Med. 2004；25：535-45.
13) 一般社団法人日本アレルギー学会喘息ガイドライン専門部会(監).「喘息予防・管理ガイドライン2021」作成委員. 喘息予防・管理ガイドライン2021. 東京：協和企画；2021.
14) Pagnoux C, Guilpain P, Guillevin L. Churg-Strauss syndrome. Curr Opin Rheumatol. 2007；19：25-32.
15) Hazebroek MR, Kemna MJ, Schalla S, et al. Prevalence and prognostic relevance of cardiac involvement in ANCA-associated vasculitis：eosinophilic granulomatosis with polyangiitis and granulomatosis with polyangiitis. Int J Cardiol. 2015；199：170-9.
16) Chang HC, Chou PC, Lai CY, et al. Antineutrophil Cytoplasmic Antibodies and Organ-Specific Manifestations in Eosinophilic Granulomatosis with Polyangiitis：A Systematic Review and Meta-Analysis. J Allergy Clin Immunol Pract. 2021；9：445-52. e6.
17) Masi AT, Hunder GG, Lie JT, et al. The American College of Rheumatology 1990 criteria for the classification of Churg-Strauss syndrome(allergic granulomatosis and angiitis). Arthritis Rheum. 1990；33：1094-100.
18) Sablé-Fourtassou R, Cohen P, Mahr A, et al. Antineutrophil cytoplasmic antibodies and the Churg-Strauss syndrome. Ann Intern Med. 2005；143：632-8.
19) Sinico RA, Di Toma L, Maggiore U, et al. Prevalence and clinical significance of antineutrophil cytoplasmic antibodies in Churg-Strauss syndrome. Arthritis Rheum. 2005；52：2926-35.
20) Guillevin L, Pagnoux C, Seror R, et al. The Five-Factor Score revisited：assessment of prognoses of systemic necrotizing vasculitides based on the French Vasculitis Study Group (FVSG)cohort. Medicine(Baltimore). 2011；90：19-27.
21) Ozaki S. ANCA-associated vasculitis：diagnostic and therapeutic strategy. Allergol Int. 2007；56：87-96.
22) Guillevin L, Cohen P, Gayraud M, et al. Churg-Strauss syndrome. Clinical study and longterm follow-up of 96 patients. Medicine(Baltimore). 1999；78：26-37.
23) Tsurikisawa N, Taniguchi M, Saito H, et al. Treatment of Churg-Strauss syndrome with high-dose intravenous immunoglobulin. Ann Allergy Asthma Immunol. 2004；92：80-7.
24) Jachiet M, Samson M, Cottin V, et al. Anti-IgE Monoclonal Antibody(Omalizumab)in Refractory and Relapsing Eosinophilic Granulomatosis With Polyangiitis(Churg-Strauss)：Data on Seventeen Patients. Arthritis Rheumatol. 2016；68：2274-82.
25) Wechsler ME, Akuthota P, Jayne D, et al. Mepolizumab or Placebo for Eosinophilic Granulomatosis with Polyangiitis. N Engl J Med. 2017；376：1921-32.

C 合併症（併存症）および寄与因子

9　アレルギー性気管支肺真菌症

ポイント

- 難治性喘息における ABPA のスクリーニングとしては，まずアスペルギルス特異的 IgE 抗体を測定する。陽性であれば中枢性気管支拡張所見などを CT で検索し，沈降抗体もしくは IgG 抗体を測定する。
- ABPA の有病率は喘息全体の 1 ～ 2％で，わが国では女性が 57％を占め，平均発症年齢は 57 歳と比較的高齢である。
- 診断の遅れは非可逆性の気道破壊を来し，慢性気道感染や呼吸不全を生じうる。ABPM の標準治療は OCS である。アゾール系抗真菌薬やオマリズマブの有効性を示す報告もある（保険適用外）。

概念・疫学

アレルギー性気管支肺真菌症（allergic bronchopulmonary mycosis：ABPM）は，主に成人気管支喘息患者あるいは嚢胞性肺線維症患者の気道内に発芽・腐生した真菌（糸状菌）が気道でⅠ型およびⅢ型アレルギーを誘発して喘息や肺浸潤が惹起される疾患である。慢性的な経過で増悪を繰り返すと，不可逆的な気管支拡張や線維化に至る。ABPM では，感染症とは異なり菌体が気管支内粘液栓に限局し，組織浸潤は基本的に認められない。主に *Aspergillus fumigatus* が原因真菌となることが多く，*A. niger* や *A. oryzae* なども原因となり，アスペルギルス属が原因となる場合はアレルギー性気管支肺アスペルギルス症（allergic bronchopulmonary aspergillosis：ABPA）と呼ばれる[1]。*Penicillium*，*Cladosporium*，*Schizophyllum commune*（スエヒロタケ）なども原因となり，これらを総称して ABPM と呼ぶ。

海外の報告では，ABPA の有病率は喘息全体の 1 ～ 2％とされている[2]。わが国の 358 例の ABPA を対象とした調査では，女性が 57％，平均発症年齢は 57 歳，喘息発症から ABPA 発症までは平均 14 年と報告されている[3]。また，喀痰培養では，56％で *A. fumigatus* が，4％で *S. commune* が検出された[3]。

病　態

まず，先行する喘息による気道上皮障害によって，*Aspergillus* が付着しやすい素地が存在する。海外では，嚢胞性肺線維症に続発する症例も多い。遺伝的背景の関与も示唆されており，*Aspergillus* に対する Th2 反応性と，HLA-DR2 遺伝子型との関連が示唆されている[4)5]。

下気道における *Aspergillus* の付着が持続すると，活性化されたTh2リンパ球由来のサイトカインが，好酸球性炎症と，B細胞からのIgE抗体とIgG抗体の産生を惹起する[4]。IgE抗体によるⅠ型アレルギー反応によって喘息が増悪し，IgG抗体によるⅢ型アレルギー反応も生じる。気管支内には好酸球に富むきわめて粘稠な粘液栓が形成され，その機序には好酸球の細胞外トラップ(extracellular traps)やETosisの関与が示唆されている[4)-6)]。好酸球性肺炎から形成される浸潤影の出現を繰り返し，また粘液栓の付着部位に中枢性気管支拡張を来すことが多く，浸潤影が出現した気管支には，比較的早期から気管支拡張と気管支壁肥厚が生じ，反復すれば囊胞性変化と線維化に至る。気道壁が破壊されると，慢性気道感染が続発し，最終的には慢性呼吸不全を生じる。この経過は，組織破壊の少ないⅠ型アレルギーを主体とした喘息とは明らかに異なる。なお，必ずしも典型例だけではなく，喘息症状に乏しい例やアスペルギローマから類似病態が生じる例も報告されている[2]。

診　断

診断の遅れは非可逆性の気道破壊を来し，慢性気道感染や呼吸不全をもたらすため，早期診断は重要である。しかしながら，喘息症状に乏しい例や，浸潤影が出現しても無症状の場合があり，的確に診断されていない患者も多い。

ABPAの診断基準として，1977年にRosenbergらが示した基準(表1)[7]が，わが国でよく用いられてきたが，早期例や非典型例では基準を満たさない場合がある。より早期診断に適した概念として，中枢性気管支拡張を伴うABPA-bronchiectasisと，それを伴わないABPA-seropositiveに分け，後者では喘息，即時型皮膚反応陽性，総IgE値＞417kU/L，アスペルギルス特異的IgEまたは／およびIgG陽性の4項目を満たせばABPAとする基準も後に示されている[8]。さらにISHAM(International Society for Human and Animal Mycology)のワーキンググループでは，喘息，特異的IgE陽性に加えて，3項目(沈降抗体陽性，合致する画像所見，末梢血好酸球数＞500/μL)のうち2項目を満たせばABPAとする基準を示している[9]。喀痰中の *Aspergillus* の検出頻度が低いこと，早期では中枢性気管支拡張が明瞭でない症例があること，急性期以外では肺浸潤影，好酸球増多や粘液栓喀出が認められないことなどが考慮されている。

また，「アレルギー性気管支肺真菌症の新・診断基準の検証と新規治療開発」研究班(ABPM研究班)によるABPM臨床診断基準が作成されている(表2)[1]。この診断基準は，アスペルギルス以外の真菌によって発症するABPMにも適用できる[1)10)]。

なお，真菌感作重症喘息(severe asthma with fungal sensitization：SAFS)[11]という概念があり，真菌感作が認められる難治性喘息で，ABPAが除外された症例を指しているが，ABPA-seropositiveとの鑑別は困難であり，独立した疾患概念として扱うべきかの結論は出ていない。

ABPAの診断手順としては，まずスクリーニングとしてアスペルギルス特異的IgE抗体を測定するか，皮膚テストを施行する。また，近年，アスペルギルスから抽出されるアレルゲンコンポーネントの1つの特異的IgE検査で，*Aspergillus fumigatus* の主要アレルゲンであるAsp f1に対するIgE抗体が保険適用となり，ABPAの補助診断として利用可能になっている。これらが陽性であれば，中枢性気管支拡張の有無を胸部X線や高分

表1　RosenbergのABPA診断基準

一次基準
1）発作性気管支閉塞（喘息）
2）末梢血好酸球増多
3）アスペルギルス抗原に対する即時型皮膚反応陽性
4）アスペルギルス抗原に対する沈降抗体陽性
5）血清IgE高値
6）肺浸潤影の既往（一過性または固定性）
7）中枢性気管支拡張
二次基準
1）喀痰から *Aspergillus* が検出（培養と鏡検を繰り返す）
2）茶色の粘液栓を喀出した既往
3）アスペルギルス抗原に対するアルサス型（遅延型）皮膚反応陽性

一次基準のすべてを満たすもの：確実
一次基準のうち1）～6）を満たすもの：ほぼ確実
From Annals of Internal Medicine, Rosenberg M, et al., Clinical and immunologic criteria for the diagnosis of allergic bronchopulmonary aspergillosis., 86(4)：405-14.

（文献7より引用）

表2 アレルギー性気管支肺真菌症(ABPM)の臨床診断基準

①喘息の既往あるいは喘息様症状あり
②末梢血好酸球数(ピーク時)≧500/mm^3
③血清総IgE値(ピーク時)≧417IU/mL
④糸状菌に対する即時型皮膚反応あるいは特異的IgE陽性
⑤糸状菌に対する沈降抗体あるいは特異的IgG陽性
⑥喀痰・気管支洗浄液で糸状菌培養陽性
⑦粘液栓内の糸状菌染色陽性
⑧CTで中枢性気管支拡張
⑨粘液栓喀出の既往あるいはCT・気管支鏡で中枢気管支内粘液栓あり
⑩CTで粘液栓の濃度上昇(high attenuation mucus：HAM)

6項目以上を満たす場合に，ABPMと診断する。

・項目④，⑤，⑥は同じ属の糸状菌について陽性の項目のみ合算できる［例：*A. fumigatus*(アスペルギルス・フミガーツス)に対するIgEと沈降抗体が陽性だが，培養ではペニシリウム属が検出された場合は2項目陽性と判定する］

・項目⑦の粘液栓検体が得られず5項目を満たしている場合には，気管支鏡検査などで粘液栓を採取するように試みる。困難な場合には「ABPM疑い」と判定する。

(文献1より引用)

解能CT(high-resolution CT：HRCT)で注意深く検討し，可能な限り*Aspergillus*に対する沈降抗体もしくはIgG抗体を測定する。なお，ABPA以外のABPMの診断におけるIgE抗体測定の有用性については確立していない。

治　療

ABPA(ABPMを含む)の標準治療は，経口副腎皮質ステロイド薬の投与である。初期投与量としてプレドニゾロン0.5mg/kg投与すると，治療開始後6週間以内に症状改善と血清IgE値の低下がほぼ全例でみられる[12)13)]。

抗真菌薬は，ステロイド薬減量・中止で再燃を繰り返す症例に対してステロイド薬との併用として位置付けられてきた。経口アゾール系抗真菌薬，特にイトラコナゾールを用いた検討が主になされているが，イトラコナゾールとボリコナゾールいずれにおいても経口ステロイド薬(oral corticosteroid：OCS)とほぼ同等の効果であることが示されている。

抗IgE抗体であるオマリズマブの有効性を示す報告もあり[14)-16)]，少数例を対象とした二重盲検試験の結果も報告され，喘息増悪回数の減少が認められている[16)]。ABPAでは高IgE血症を認めることが多く，保険適用内で使用することが困難な場合が多いが，ステロイド治療などで低下する可能性があり，初期治療後に導入できる可能性もある。

その他，抗IL-5/IL-5Rα抗体療法やマクロライド系抗菌薬少量長期療法も有効であったとする報告もあるが，エビデンスに乏しい。

喀痰中の*Aspergillus*検出は屋内浮遊真菌量と関連するとされており[17)]，清掃，換気，湿気対策，結露対策などの環境対策も行ったほうがよいと考えられる。

文献

1) 日本アレルギー学会・日本呼吸器学会(監)．アレルギー性気管支肺真菌症の診療の手引き．東京：医学書院；2019.
2) Agarwal R. Allergic bronchopulmonary aspergillosis. Chest. 2009；135：805-26.
3) Oguma T, Taniguchi M, Shimoda T, et al. Allergic bronchopulmonary aspergillosis in Japan：A nationwide survey. Allergol Int. 2018；67：79-84.
4) Muniz VS, Silva JC, Braga YAV, et al. Eosinophils release extracellular DNA traps in response to Aspergillus fumigatus. J Allergy Clin Immunol. 2018；141：571-85.e7.
5) Asano K, Kamei K, Hebisawa A. Allergic bronchopulmonary mycosis - pathophysiology, histology, diagnosis, and treatment. Asia Pac Allergy. 2018；8：e24.
6) Ueki S, Hebisawa A, Kitani M, et al. Allergic Bronchopulmonary Aspergillosis-A Luminal Hypereosinophilic Disease With Extracellular Trap Cell Death. Front Immunol. 2018；9：2346.
7) Rosenberg M, Patterson R, Mintzer R, et al. Clinical and immunologic criteria for the diagnosis of allergic bronchopul-

monary aspergillosis. Ann Intern Med. 1977；86：405-14.
8) Greenberger PA. Allergic bronchopulmonary aspergillosis. J Allergy Clin Immunol. 2002；110：685-92.
9) Agarwal R, Chakrabarti A, Shah A, et al. Allergic bronchopulmonary aspergillosis：review of literature and proposal of new diagnostic and classification criteria. Clin Exp Allergy. 2013；43：850-73.
10) Asano K, Hebisawa A, Ishiguro T, et al. New clinical diagnostic criteria for allergic bronchopulmonary aspergillosis/mycosis and its validation. J Allergy Clin Immunol. 2021；147：1261-8. e5.
11) Denning DW, O'Driscoll BR, Hogaboam CM, et al. The link between fungi and severe asthma：a summary of the evidence. Eur Respir J. 2006；27：615-26.
12) Agarwal R, Aggarwal AN, Dhooria S, et al. A randomised trial of glucocorticoids in acute-stage allergic bronchopulmonary aspergillosis complicating asthma. Eur Respir J. 2016；47：490-8.
13) Agarwal R, Dhooria S, Singh Sehgal I, et al. A Randomized Trial of Itraconazole vs Prednisolone in Acute-Stage Allergic Bronchopulmonary Aspergillosis Complicating Asthma. Chest. 2018；153：656-64.
14) Tillie-Leblond I, Germaud P, Leroyer C, et al. Allergic bronchopulmonary aspergillosis and omalizumab. Allergy. 2011；66：1254-6.
15) Pérez-de-Llano LA, Vennera MC, Parra A, et al. Effects of omalizumab in Aspergillus-associated airway disease. Thorax. 2011；66：539-40.
16) Voskamp AL, Gillman A, Symons K, et al. Clinical efficacy and immunologic effects of omalizumab in allergic bronchopulmonary aspergillosis. J Allergy Clin Immunol Pract. 2015；3：192-9.
17) Fairs A, Agbetile J, Bourne M, et al. Isolation of Aspergillus fumigatus from sputum is associated with elevated airborne levels in homes of patients with asthma. Indoor Air. 2013；23：275-84.

C 合併症(併存症)および寄与因子

10　声帯機能障害

ポイント

- 声帯機能障害患者の約30%が喘息と診断されている。
- 基本的に吸気時に喘鳴を生じる。
- 胸部より頸部で最強点のあるwheezingを聴取する。
- フローボリューム曲線で，吸気相で平坦化し，上気道閉塞の所見を示すことが多い。
- 心因性の要因や運動で誘発されることが多い。

声帯機能障害(vocal cord dysfunction：VCD)とは，1983年にChristopherらが提唱した疾患名[1]で，本来吸気時に開大するはずの声帯が内転して，声門が狭少化または閉じてしまうことにより，喘鳴や呼吸困難を生じる疾患である。VCDではほとんどが吸気時に喘鳴を生じるが，吸気時，呼気時の両方または呼気時のみ喘鳴がみられることもあり，喘息との鑑別はしばしば困難である。VCD患者の約30%が喘息として診断されており[2]，しばしば心因性喘息や治療抵抗性の難治性喘息と診断され，ステロイド薬の全身投与が行われている。また，成人喘息例の19～50%にVCDが合併する[3)4)]。難治性喘息の診断を満たす例においてもVCDを含む喉頭機能不全が高頻度に合併することもあり，注意を要する[5]。

臨床所見，症状

20～40歳に好発し，米国の報告では84%が若い女性で，56%に喘息を合併し，81%が経口ステロイド薬(oral corticosteroid：OCS)を平均30mg/日内服しているにもかかわらず，頻回の救急外来受診・入院を経験していた[6]。最も多い訴えは呼吸困難(73%)で，喘鳴(36%)，stridor(吸気時の高調音)(28%)，咳嗽(25%)が続く[2]。病因は不明だが，ストレスや心理的要因の関与が多いとされる。

また，運動で誘発されることが多く，運動誘発喘息やアスリート喘息と誤診されていることもある。運動で誘発されるVCDは運動誘発性喉頭閉塞症(exercise-induced laryngeal obstruction：EILO)(声帯上部の余剰粘膜の吸気時内転を含む)の一部であり，経過が急激で運動がピークになったときに発症し，運動終了後数分で改善する。運動誘発VCDと運動誘発喘息は異なる疾患ながら，36%に合併例も存在する[7]。

その他に，胃食道逆流症(gastro-esophageal reflux disease：GERD)，後鼻漏，タバコ煙や刺激物の吸入・臭いなどで誘発されることがある[2]。

リラックスすると症状は軽減し，睡眠時には喘鳴が消失するのが特徴である。聴診では，胸部より頸部で最強点のあるwheezingを聴取することが多い[8]。

がみられない点が挙げられる[3)]。

診　断

診断は，症状が出現したときに喉頭ファイバーで声帯の内転運動を確認することであるが，発作のタイミングで検査をすることが難しく，運動負荷により誘発させることもある[2)]。呼吸機能検査では，フローボリューム曲線の呼気相はほとんど正常パターンで，β_2刺激薬吸入後も変化はない。一方，有症状時にフローボリューム曲線の吸気相の平坦化(図 1)，特に3連検で平坦化が確認される場合はVCDの存在が示唆される[9)]。ただし，症状がない際の平坦化所見はVCD例の約20％にとどまり，感度は低い。またEILO例における前向き研究において，運動負荷直後の吸気相の平坦化と喉頭ファイバー所見との関連は乏しかった[10)]。Impulse oscillometryがVCDの診断に有用とする少数例での報告[3)]もあり，今後多数例での検討が望まれる。

喘息との鑑別として，発作は夜間より日中に多く，呼吸機能検査では気道過敏性や可逆性はなく，低酸素血症がみられない点が挙げられる[3)]。

治　療

エビデンスレベルは低いものの，治療介入として呼吸法指導，吸気筋力訓練などが報告されている[11)]。まずVCDの病態について説明し，生命の危険がないことを理解させる。自律訓練法を行い，口すぼめ呼吸や腹式呼吸など呼気を長くするように練習させる。また，頸部から胸部の呼吸補助筋の緊張を緩めるために，最大吸気位で頸部や肩に力を入れて息を止めた後，一気に呼出させる。海外では，言語療法士(スピーチセラピスト)による言語療法が行われており，声帯周囲の筋の緊張をとることで有効性が示されている[12)]。

長期的には発作の誘発因子を避けることや，基礎にある精神的疾患，副鼻腔炎，GERDなどの治療が大切である。また，運動誘発性VCDでは迷走神経刺激の関与が報告されており，抗コリン薬の吸入により予防効果が認められている[13)]。

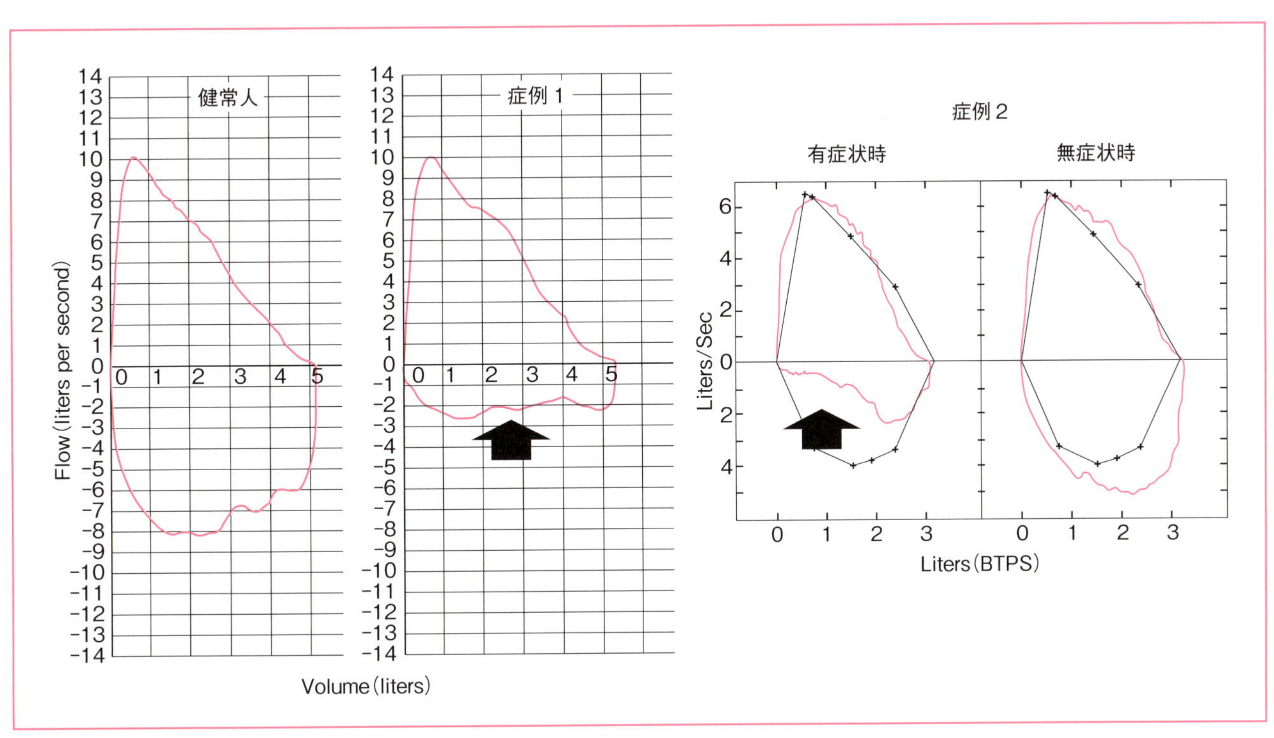

図 1　声帯機能障害(VCD)のフローボリューム曲線の特徴

黒矢印：吸気相の平坦化。

(文献 1，9 より引用改変)

おわりに

難治性喘息ではVCDの鑑別は重要であり，特に呼気時に喘鳴を認めるタイプは鑑別が難しい。胸部だけでなく頸部の聴診を行うことや，夜間の症状に乏しく，心因性の要因があり，運動誘発性喘鳴やGERDがある場合には，VCDを疑うことが大切である。

● 文献

1）Christopher KL, Wood RP 2nd, Eckert RC, et al. Vocal cord dysfunction presenting as asthma. N Engl J Med. 1983；308：1566-70.

2）Morris MJ, Christopher KL. Diagnostic criteria for the classification of vocal cord dysfunction. Chest. 2010；138：1213-23.

3）Fretzayas A, Moustaki M, Loukou I, et al. Differentiating vocal cord dysfunction from asthma. J Asthma Allergy. 2017；10：277-83.

4）Stojanovic S, Denton E, Lee J, et al. Diagnostic and Therapeutic Outcomes Following Systematic Assessment of Patients with Concurrent Suspected Vocal Cord Dysfunction and Asthma. J Allergy Clin Immunol Pract. 2022；10：602-8. e1.

5）Vertigan AE, Kapela SL, Gibson PG. Laryngeal dysfunction in severe asthma：a cross-sectional observational study. J Allergy Clin Immunol Pract. 2021；9：897-905.

6）Newman KB, Mason UG III, Schmaling KB. Clinical features of vocal cord dysfunction. Am J Respir Crit Care Med. 1995；152：1382-6.

7）Walsted ES, Famokunwa B, Andersen L, et al. Characteristics and impact of exercise-induced laryngeal obstruction：an international perspective. ERJ Open Res. 2021；7：00195-2021.

8）Pinto LHE, Aun MV, Cukier-Blaj S, et al. Vocal cord dysfunction diagnosis may be improved a screening check list. Allergol Int. 2016；65：180-5.

9）Deckert J, Deckert L. Vocal cord dysfunction. Am Fam Physician. 2010；81：156-9.

10）Christensen PM, Maltbæk N, JØrgensen IM, et al. Can flow-volume loops be used to diagnose exercise-induced laryngeal obstructions? A comparison study examining the accuracy and inter-rater agreement of flow-volume loops as a diagnostic tool. Prim Care Respir J. 2013；22：306-11.

11）Mahoney J, Hew M, Vertigan A, et al. Treatment effectiveness for Vocal Cord Dysfunction in adults and adolescents：A systematic review. Clin Exp Allergy. 2022；52：387-404.

12）Baxter M, Ruane L, Phyland D, et al. Multidisciplinary team clinic for vocal cord dysfunction directs therapy and significantly reduces healthcare utilization. Respirology. 2019；24：758-64.

13）Weinberger M, Doshi D. Vocal cord dysfunction：a functional cause of respiratory distress. Breathe(Sheff). 2017；13：15-21.

C　合併症(併存症)および寄与因子

11　肥満

ポイント

- 肥満は喘息の難治化因子であり，発症にも関与している。
- 成人発症の非アトピー型喘息で，中高年の女性に多いフェノタイプが存在する。
- 低肺気量位での換気，IL-6 などの炎症性サイトカイン，酸化ストレス，インフラマソーム，腸内細菌叢の変化などさまざまな因子が病態にかかわる。
- 合併症として，GERD や OSA がある。
- ICS が効きにくい。

肥満は喘息発症の危険因子であり，増悪・難治化にも関与している。肥満が高度なほど罹患リスクがあがり，日本人データでは body mass index(BMI) 30kg/m^2 以上の肥満例は正常BMI例に比しオッズ比 3.0(女性)，3.3(男性)，女性は BMI 25～30kg/m^2 でもオッズ比 1.8 で喘息罹患リスクが有意に増える[1)]。肥満喘息例では吸入ステロイド薬(inhaled corticosteroid：ICS)治療に対する反応性が低下しており，難治化することが多い。肥満喘息には，①若齢発症のアトピー型，好酸球性炎症が主体の喘息に肥満が合併し難治化したフェノタイプ，②肥満の結果として成人期に喘息を発症し，2 型炎症は乏しいが酸化ストレスなど肥満関連の炎症が強い女性優位のフェノタイプなどが知られている[2)-4)]。胃食道逆流症(gastro-esophageal reflux disease：GERD)，閉塞性睡眠時無呼吸(obstructive sleep apnea：OSA)，2 型糖尿病の合併などにも注意する。

肥満による呼吸機能への影響

肥満者では腹腔内や胸壁内の脂肪沈着により，横隔膜は上方に偏位し，肺は圧迫され縮んだ状態となり機能的残気量(FRC)が低下する。低肺気量位では換気時に十分な肺の弾性力を得られず，気道が虚脱しやすくなり，気管支平滑筋が圧縮される。1 回換気量も低下するため，気管支平滑筋の伸展が不十分となり平滑筋機能・構造が変化するとされ，内腔狭窄・気道過敏性亢進につながる[5)]。末梢気道が虚脱し[6)]努力肺活量(FVC)が低下するため，肥満喘息例では 1 秒率(FEV_1/FVC)は比較的保たれる。

病態・遺伝的背景

肥満喘息の炎症病態には脂肪細胞由来のアディポカイン，炎症性サイトカイン，酸化ストレスなどさまざまな因子が関与する[2)-5)]。アディポカインのうち，抗炎症・

気道過敏性減弱作用を有するアディポネクチンは肥満で減少する。一方，肥満で増加するレプチンは気流閉塞・気道過敏性亢進に関連するとされる。また，脂肪組織内のマクロファージは脂肪細胞から遊離された脂肪酸で活性化され，IL-1β，TNF-α，IL-6 などの炎症性サイトカインを産生する。脂肪酸は，インフラマソームを形成する NOD 様受容体(NLR)P3 も活性化する。NLRP3 は気道過敏性亢進と関連し，肥満喘息では重要な要素である。酸化ストレスも増加し，その指標である血清 malondialdehyde は喘息増悪頻度と相関する[7]。このほかビタミン D 欠乏，腸内細菌叢の変化による短鎖脂肪酸の減少の関与も示唆されている[3)4)]。成人の肥満と喘息に共通する遺伝子多型を解析した英国の研究では，脂肪酸のβ酸化にかかわる遺伝子(acyl-coenzyme A oxidase-like gene, *Acoxl*)と気管支平滑筋収縮にかかわる遺伝子(myosin light chain 6 gene, *MYL6*)が同定[8]されており，成人肥満喘息の病態を一部説明すると思われる。なお，成人発症の肥満喘息例では，主として喀痰中の好中球や IL-17A の増加など好中球性炎症を呈するが，一部には気道組織中の好酸球増多など 2 型炎症を呈する例も存在し，わが国でも 1 つのクラスターとして報告[9]されている。喀痰中 IL-5 と前述の NLRP3 が正に相関するとの報告[10]もある。また，短鎖脂肪酸の 1 つである酪酸[11]や類似の構造をとるケトン体のβヒドロキシイソ酪酸[12]は好酸球性炎症を減弱させるが，これらが減少する肥満例では好酸球性炎症は残存しうると考えられる。

治　療

肥満喘息では，喘息の治療の基本となる ICS が効きにくい。その原因として，肥満ではグルココルチコイド受容体αの発現低下[6]や好中球性炎症の関与が示唆されている。一方，ロイコトリエン受容体拮抗薬(leukotriene receptor antagonist：LTRA)は，肥満例でも効果があることが報告されている。

減量が最も重要な介入策であるが，喘息診断時に肥満(BMI 30kg/m^2 以上)であった症例の 86%は 12 年後も肥満であり[13]，現実には減量困難なことが多い。しかし 5 ～ 10%の減量，特に運動療法と組み合わせることで，喘息コントロール，炎症マーカー，呼吸機能などが改善[14]しており，積極的な介入が望まれる。胃バイパス手術(bariatric surgery)を施行した肥満喘息に関する系統的レビュー[15]では，bariatric surgery で 22 ～ 36%の減量ができ，症状，呼吸機能，気道過敏性の改善，救急外来受診や入院頻度が減少したとされる。わが国でのスリーブ状胃切除術の主な適応は，内科的治療に抵抗性の病的肥満症で，BMI 35kg/m^2 以上で 2 型糖尿病，脂質異常症，高血圧，OSA の 1 つ以上の合併症がある例である。

文献

1) Fukutomi Y, Taniguchi M, Nakamura H, et al. Association between body mass index and asthma among Japanese adults：risk within the normal weight range. Int Arch Allergy Immunol. 2012；157：281-7.
2) Dixon AE, Poynter ME. Mechanisms of asthma in obesity. Pleiotropic aspects of obesity produce distinct asthma phenotypes. Am J Respir Cell Mol Biol. 2016；54：601-8.
3) Peters U, Dixon AE, Forno E. Obesity and asthma. J Allergy Clin Immunol. 2018；141：1169-79.
4) Tashiro H, Shore SA. Obesity and severe asthma. Allergol Int. 2019；68：135-42.
5) Shore SA. Obesity and asthma. J Allergy Clin Immunol. 2008；121：1087-93.
6) Skloot G, Schechter C, Desai A, et al. Impaired response to deep inspiration in obesity. J Appl Physiol. 2011；111：726-34.
7) To M, Kono Y, Ogura N, et al. Obesity-related systemic oxidative stress：an important factor of poor asthma control. Allergol Int. 2018；67：147-9.
8) Zhu Z, Guo Y, Shi H, et al. Shared genetic and experimental links between obesity-related traits and asthma subtypes in UK Biobank. J Allergy Clin Immunol. 2020；145：537-49.
9) Konno S, Taniguchi N, Makita H, et al. Distinct Phenotypes of Smokers with Fixed Airflow Limitation Identified by Cluster Analysis of Severe Asthma. Ann Am Thorac Soc. 2018；15：33-41.
10) Pinkerton JW, Kim RY, Brown AC, et al. Relationship between type 2 cytokine and inflammasome responses in obesity-associated asthma. J Allergy Clin Immunol. 2022；149：1270-80.
11) Theiler A, Bärnthaler T, Platzer W, et al. Butyrate ameliorates allergic airway inflammation by limiting eosinophil trafficking and survival. J Allergy Clin Immunol. 2019；144：764-76.
12) Nishi K, Matsumoto H, Tashima N, et al. Impacts of lipid-related metabolites, adiposity, and genetic background on blood

eosinophil counts：the Nagahama study. Sci Rep. 2021；11：15373.
13) Ilmarinen P, Pardo A, Tuomisto LE, et al. Long-term prognosis of new adult-onset asthma in obese patients. Eur Respir J. 2021；57：2001209.
14) Freitas PD, Ferreira PG, Silva AG, et al. The Role of Exercise in a Weight-Loss Program on Clinical Control in Obese Adults with Asthma. A Randomized Controlled Trial. Am J Respir Crit Care Med. 2017；195：32-42.
15) Hossain N, Arhi C, Borg CM. Is Bariatric Surgery Better than Nonsurgical Weight Loss for Improving Asthma Control? A Systematic Review. Obes Surg. 2021；31：1810-32.

C　合併症(併存症)および寄与因子

12　心不全

ポイント

- 心不全でも，気流閉塞や気道過敏性亢進を認めることがある。
- FeNO，血漿 BNP，心臓超音波検査は，心不全と喘息の鑑別に有用である。
- 喘鳴や呼吸困難を，高齢者，喘息既往がない症例，心疾患のリスクを伴う症例に認めた場合，心不全の可能性を慎重に除外する。
- β遮断薬は喘息患者には原則禁忌であるが，心疾患の治療に有益性が高い場合は，β_1 選択性が高い遮断薬を慎重に使用する。

喘息の合併症としての心不全

1. 喘息における心不全合併の疫学

喘息では心不全を合併するリスクが高く[1)2)]，高齢者では 14.9%に心不全を合併するとの報告がある[1)]。冠動脈疾患の発症リスクは，女性の成人発症喘息で高く[3)4)]，エストロゲンが惹起する全身性炎症の関与が想定されている[5)]。

2. 喘息症状と心不全症状の類似性

急性左心不全では，左室拡張期圧と肺静脈圧の上昇に伴い，気道の浮腫，分泌過多，および反応性収縮が生じ[6)]，起坐呼吸，咳嗽，喀痰喀出，喘鳴などの“心臓喘息(cardiac asthma)”症状を呈する[7)]。これらの症状は喘息増悪に類似しており，誤って喘息と診断される場合がある。緊急時に喘息増悪と心臓喘息との鑑別は困難なことが多く[8)]，確定診断は緊急時を脱した安定期に行う。

3. 鑑別のポイント

身体所見として，心雑音や浮腫は心不全の存在を支持する[9)]。

呼気中一酸化窒素濃度(fraction of exhaled nitric oxide：FeNO)と血漿ナトリウム利尿ペプチドは，心不全と喘息の鑑別に有用である。FeNO は喘息と比較して，心不全では低値である[10)]。血漿 B-type natriuretic peptide(BNP)値は，心不全と比較して呼吸器疾患では低値であり[11)]，慢性閉塞性肺疾患(chronic obstructive pulmonary disease：COPD)増悪においては，100pg/mL 未満であれば心不全が寄与している可能性は低い[12)]。また，NT-proBNP のカットオフ値を 1,000pg/mL として，心臓超音波検査を組み合わせると，COPD や喘息の増悪と心不全とを鑑別できるとされている[13)]。

心不全の約半数は，左室駆出率が保たれ，拡張機能障害が主体となっている，heart failure with preserved ejection fraction(HFpEF)であり[8)]，BNP 値も正常のことがある[14)]。また，肺うっ血を呈する患者においては，気流閉塞を認めることがあり[15)]，気道過敏性が亢進しうる[16]。このため，心不全は喘息と誤って診断される可能性がある。

これらの点を踏まえて，高齢者，喘息の既往のない症例，心疾患のリスクファクターを有する患者においては，労作時の息切れや夜間の呼吸困難について安易に喘息と診断することなく，心不全の可能性を慎重に除外する必要がある。

心不全治療と喘息治療の相互作用

1. 心不全治療が喘息に及ぼす影響

β遮断薬は，心不全の治療薬として重要な位置付けにある[17]。喘息患者を対象とした臨床試験のメタ解析では，β_1選択性が高いβ遮断薬は完全には安全でないが[18]，忍容性は良好とする報告も多い[18)-20)]。

しかしながら，β遮断薬が喘息の悪化因子となっている症例は存在し，臨床試験では治療によりコントロールされた喘息患者を対象としているため，すべての喘息患者に安全に使用できるかどうかは明らかでない。

以上のことから，コントロール不良の喘息患者においてβ遮断薬の使用は原則的には禁忌である。ただし，β_1選択性が高いβ遮断薬については，心疾患の治療に有益性が高いと判断される場合は最小用量から慎重に投与する[8)17)]。また，吸入ステロイド薬(inhaled corticosteroid：ICS)使用中の安定した喘息患者では，長時間作用性抗コリン薬(long-acting muscarinic antagonist：LAMA)投与中にプロプラノロールによる気道攣縮は認められなかったとする報告があり[21]，併用を考慮する。

2. 喘息治療が心不全に及ぼす影響

抗コリン薬は，心不全患者の呼吸困難や呼吸機能を改善する[22]。アミノフィリンやテオフィリン徐放製剤は，うっ血性心不全に保険適応はあるが，心不全患者ではクリアランスが低下しているため，血中濃度上昇に注意が必要であり，心不全ガイドラインに選択薬剤としての記載はない[8]。

全身性ステロイド薬やβ_2刺激薬は，心不全を発症あるいは悪化させることがあるため，心不全の増悪に注意しながら，心不全治療と並行して継続する[8]。たこつぼ心筋症は，過剰なカテコラミンが関与する疾患とされているが，喘息での合併率が高い可能性がある[23]。原因として，エピネフリンやβ_2刺激薬などの喘息治療薬の関与が推定される報告もあるため[24]，喘息増悪の治療に反応しない場合は，本疾患を念頭に置く。

文献

1) Steppuhn H, Langen U, Keil T, et al. Chronic disease co-morbidity of asthma and unscheduled asthma care among adults：results of the national telephone health interview survey German Health Update（GEDA）2009 and 2010. Prim Care Respir J. 2014；23：22-9.
2) Pollevick ME, Xu KY, Mhango G, et al. The Relationship Between Asthma and Cardiovascular Disease：An Examination of the Framingham Offspring Study. Chest. 2021；159：1338-45.
3) Onufrak SJ, Abramson JL, Austin HD, et al. Relation of adult-onset asthma to coronary heart disease and stroke. Am J Cardiol. 2008；101：1247-52.
4) Wang L, Gao S, Yu M, et al. Association of asthma with coronary heart disease：A meta analysis of 11 trials. PLoS One. 2017；12：e0179335.
5) Zaitsu M, Narita S, Lambert KC, et al. Estradiol activates mast cells via a non-genomic estrogen receptor-alpha and calcium influx. Mol Immunol. 2007；44：1977-85.
6) Buckner K. Cardiac asthma. Immunol Allergy Clin North Am. 2013；33：35-44.
7) Kahn MH. Cardiac Asthma. Bull N Y Acad Med. 1927；3：632-42.
8) 日本循環器学会／日本心不全学会．急性・慢性心不全診療ガイドライン(2017年改訂版)．2018．https://www.j-circ.or.jp/cms/wp-content/uploads/2017/06/JCS2017_tsutsui_h.pdf
9) Global Initiative for Asthma（GINA）. 2021 GINA Report, Global strategy for asthma management and prevention. https://ginasthma.org/wp-content/uploads/2021/05/GINA-Main-Report-2021-V2-WMS.pdf
10) Nishimura Y, Yu Y, Kotani Y, et al. Bronchial hyperresponsiveness and exhaled nitric oxide in patients with cardiac disease. Respiration. 2001；68：41-5.
11) Morrison LK, Harrison A, Krishnaswamy P, et al. Utility of a rapid B-natriuretic peptide assay in differentiating congestive heart failure from lung disease in patients presenting with dyspnea. Am Coll Cardiol. 2002；39：202-9.
12) Le Jemtel TH, Padeletti M, Jelic S. Diagnostic and therapeutic challenges in patients with coexistent chronic obstructive pulmonary disease and chronic heart failure. J Am Coll Cardiol. 2007；49：171-80.

13) Prosen G, Klemen P, Štrnad M, et al. Combination of lung ultrasound (a comet-tail sign) and N-terminal pro-brain natriuretic peptide in differentiating acute heart failure from chronic obstructive pulmonary disease and asthma as cause of acute dyspnea in prehospital emergency setting. Crit Care. 2011；15：R114.
14) Dunlay SM, Roger VL, Redfield MM. Epidemiology of heart failure with preserved ejection fraction. Nat Revi Cardiol. 2017；14：591-602.
15) Hawkins NM, Virani S, Ceconi C. Heart failure and chronic obstructive pulmonary disease：the challenges facing physicians and health services. Eur Heart J. 2013；34：2795-803.
16) Nishimura Y, Maeda H, Yokoyama M, et al. Bronchial hyperreactivity in patients with mitral valve disease. Chest. 1990；98：1085-90.
17) Ponikowski P, Voors AA, Anker SD, et al. 2016 ESC Guidelines for the diagnosis and treatment of acute and chronic heart failure：The Task Force for the diagnosis and treatment of acute and chronic heart failure of the European Society of Cardiology (ESC) Developed with the special contribution of the Heart Failure Association (HFA) of the ESC. Eur Heart J. 2016；37：2129-200.
18) Morales DR, Jackson C, Lipworth BJ, et al. Adverse respiratory effect of acute beta-blocker exposure in asthma：a systematic review and meta-analysis of randomized controlled trials. Chest. 2014；145：779-86.
19) Salpeter SR, Ormiston TM, Salpeter EE. Cardioselective beta-blockers in patients with reactive airway disease：a meta-analysis. Ann Intern Med. 2002；137：715-25.
20) Morales DR, Lipworth BJ, Donnan PT, et al. Respiratory effect of beta-blockers in people with asthma and cardiovascular disease：population-based nested case control study. BMC Med. 2017；15：18.
21) Short PM, Anderson WJ, Williamson PA, et al. Effects of intravenous and oral β-blockade in persistent asthmatics controlled on inhaled corticosteroids. Heart. 2014；100：219-23.
22) Kindman LA, Vagelos RH, Willson K, et al. Abnormalities of pulmonary function in patients with congestive heart failure, and reversal with ipratropium bromide. Am J Cardiol. 1994；73：258-62.
23) von Blotzheim LG, Christen S, Wieser S, et al. Evidence for an association between tako-tsubo cardiomyopathy and bronchial asthma：retrospective analysis in a primary care hospital. Open Cardiovasc Med J. 2015；9：1-4.
24) Saito N, Suzuki M, Ishii S, et al. Asthmatic Attack Complicated with Takotsubo Cardiomyopathy after Frequent Inhalation of Inhaled Corticosteroids/Long-Acting Beta2-Adrenoceptor Agonists. Intern Med. 2016；55：1615-20.

C　合併症(併存症)および寄与因子

13　ホルモンの影響

ポイント

- **エストロゲン分泌増加と，喘息発症や症状悪化との関連が示唆されている。**
- **月経喘息は，女性の難治性喘息の約1/4に存在し，月経周期に依存して喘息コントロールが悪化する。**
- **妊娠中には性ホルモン分泌が亢進し，喘息病態に影響している可能性がある。**
- **甲状腺機能亢進は，喘息を悪化させる。**

女性ホルモンと喘息との関連

1. 喘息症状の性差

女性ホルモンの変動と喘息との関係は古くから知られている。エストロゲン分泌は思春期に増加した後維持され，更年期に低下し閉経に至る。この推移に一致して，喘息罹患率は思春期に男性から女性優位に移行し，閉経後には喘息症状は改善傾向となる[1)]。

また，経口避妊薬によってエストロゲン分泌は低下するが，内服中は，通常認められる月経直前の気道過敏性亢進が抑制される[2)]。閉経後にエストロゲン補充を行った群では喘息発症リスクが高まることも報告されている[3)]。

これらの知見は，エストロゲンなどの性ホルモンと喘息病態とに関連があることを示唆している。

2. 月経喘息

月経周期に依存して，喘息コントロールが悪化する喘息を月経喘息と呼ぶ。難治性喘息のコホート研究では，女性の難治性喘息の24%が月経喘息とされた[4)]。また，月経喘息の半数は難治性喘息であったが，非月経喘息では難治性喘息の比率は30%にとどまり，月経喘息では喘息重症度が高い[4)]。

月経周期は，月経，卵胞期，排卵期，黄体期，月経，で構成されている。喘息増悪に寄与する特定のホルモンは十分同定されておらず，月経期のみならず，卵胞期にも増悪が増えることも報告されている[5)6)]。

少数例の検討であるが，月経前の喘息のピークフロー(peak expiratory flow：PEF)低下に対して，ロイコトリエン受容体拮抗薬(leukotriene receptor antagonist：LTRA)の有用性が報告されている[7)]。

女性の難治性喘息においては，女性ホルモンの変動と，増悪との関連を念頭に置いた問診を行う必要がある。

妊娠と喘息

喘息は，妊娠に合併する最も頻度の高い呼吸器疾患である[8)]。妊娠中には，エストロゲンやプロゲステロンの分泌が著明に増加し，喘息病状の変化に影響している可能性がある[9]。1970年代の報告では，喘息患者の1/3が妊娠中に増悪するとされていたが[10]，治療の進歩に伴いこの比率は低下し，増悪する比率は約1/4(23%)とする報告もある[11]。

ホルモンの変化以外にも，妊娠に伴う子宮増大が横隔膜を挙上させて，機能的残気量(FRC)が減少し，妊婦は徐々に呼吸困難感を自覚しやすくなるため，喘息増悪との鑑別が重要となる。

妊婦における喘息増悪においては，過換気による低炭酸ガス血症は子宮動脈の収縮を介して，胎児の低酸素血症を惹起する。喘息患者では正常妊婦に比較して流早産や低出生体重児，先天異常の頻度が高いとの報告がある[12][13]。このため，十分な喘息コントロールが重要である。

妊娠中の喘息長期管理については，経口薬に比較して吸入薬の安全性は高いと考えられ，吸入ステロイド薬(inhaled corticosteroid：ICS)が第一選択薬として推奨される。ICSのみでコントロールが得られない場合には，長時間作用性β_2刺激薬(long-acting β_2 agonist：LABA)や長時間作用性抗コリン薬(long-acting muscarinic antagonist：LAMA)を追加する[14]。テオフィリン徐放製剤(sustained-release theophylline：SRT)，LTRAの追加も可能である。

生物学的製剤については，抗IgE抗体製剤は，妊娠前から使用している場合，継続可能と考えられている[15]。

増悪治療薬の短時間作用性β_2刺激薬(short-acting β_2 agonist：SABA)，全身性ステロイド薬は母児への安全性が高く，増悪治療を躊躇しないよう勧められる[14]。

甲状腺ホルモンと喘息

甲状腺ホルモンと喘息病態とは関連性があり，甲状腺機能亢進は喘息症状を悪化させ，喘息増悪の頻度および重症度を高め，SABAの使用頻度を増加させることが報告されており，その合併率は必ずしも高くはないが，注意を要する病態である[16]。

文献

1) Zein JG, Erzurum SC. Asthma is Different in Women. Curr Allergy Asthma Rep. 2015；15：28.
2) Tan KS, McFarlane LC, Lipworth BJ. Modulation of airway reactivity and peak flow variability in asthmatics receiving the oral contraceptive pill. Am J Respir Crit Care Med. 1997；155：1273-7.
3) Romieu I, Fabre A, Fournier A, et al. Postmenopausal hormone therapy and asthma onset in the E3N cohort. Thorax. 2010；65：292-7.
4) Rao CK, Moore CG, Bleecker E, et al. Characteristics of perimenstrual asthma and its relation to asthma severity and control：data from the Severe Asthma Research Program. Chest. 2013；143：984-92.
5) Brenner BE, Holmes TM, Mazal B, et al. Relation between phase of the menstrual cycle and asthma presentations in the emergency department. Thorax. 2005；60：806-9.
6) Zimmerman JL, Woodruff PG, Clark S, Camargo CA. Relation between phase of menstrual cycle and emergency department visits for acute asthma. Am J Respir Crit Care Med. 2000；162(2 Pt 1)：512-5.
7) Nakasato H, Ohrui T, Sekizawa K, et al. Prevention of severe premenstrual asthma attacks by leukotriene receptor antagonist. J Allergy Clin Immunol. 1999；104(3 Pt 1)：585-8.
8) Jølving LR, Nielsen J, Kesmodel US, et al. Prevalence of maternal chronic diseases during pregnancy - a nationwide population based study from 1989 to 2013. Acta Obstet Gynecol Scand. 2016；95：1295-304.
9) Haggerty CL, Ness RB, Kelsey S, et al. The impact of estrogen and progesterone on asthma. Ann Allergy Asthma Immunol. 2003；90：284-91；quiz 91-3, 347.
10) Gluck JC, Gluck P. The effects of pregnancy on asthma：a prospective study. Ann Allergy. 1976；37：164-8.
11) Gluck JC, Gluck PA. The effect of pregnancy on the course of asthma. Immunol Allergy Clin North Am. 2006；26：63-80.
12) Murphy VE, Clifton VL, Gibson PG. Asthma exacerbations during pregnancy：incidence and association with adverse pregnancy outcomes. Thorax. 2006；61：169-76.
13) Demissie K, Breckenridge MB, Rhoads GG. Infant and maternal outcomes in the pregnancies of asthmatic women. Am J Respir Crit Care Med. 1998；158：1091-5.
14) 一般社団法人日本アレルギー学会喘息ガイドライン専門部会(監).「喘息予防・管理ガイドライン2021」作成委員．喘息予防・管理ガイドライン2021．東京：協和企画；2021.
15) Namazy J, Cabana MD, Scheuerle AE, et al. The Xolair Pregnancy Registry(EXPECT)：the safety of omalizumab use during pregnancy. J Allergy Clin Immunol. 2015；135：407-12.
16) Luong KV, Nguyen LT. Hyperthyroidism and asthma. J Asthma. 2000；37：125-30.

C　合併症(併存症)および寄与因子

14　心理的因子

ポイント

- 喘息では，精神障害を合併するリスクが高い。
- うつ症状を有する喘息患者のコントロールは不良で，治療アドヒアランスは低い。
- 精神的ストレス下では，ステロイド薬やβ_2刺激薬の効果が低い可能性がある。
- 自律訓練法，認知行動療法などの心身医学的治療や，抗うつ薬が喘息コントロールを改善するとの報告がある。

喘息と心理的因子の関連についての疫学

難治性喘息患者においては，不安障害，パニック障害，および特定の恐怖症などの精神障害が併存するリスクが，非喘息患者や非難治性喘息患者より高い[1]。喘息におけるうつ症状の併発頻度は18.1%と高く[2]，うつ症状を有する喘息患者では，有しない患者と比較して喘息コントロールは不良で，増悪回数は多い[3)4]。また，難治性喘息の約35%で不眠を認め，不眠を有する患者では喘息コントロールが不良である[5]。

精神障害と喘息発症との時間的関連については，双極性障害，パニック障害，不安神経症などの精神障害が，その後の喘息発症に関連しており[6]，心理的因子が喘息発症に影響することが示唆されている。一方，喘息の存在が，その後のパニック障害の発症を予測し，逆にパニック障害もその後の喘息発症を予測することがコホート研究で示されている[7]。メタ解析でも同様の結果が示されており[8]，精神障害と喘息発症における，双方向性の関連も示唆されている。

心理的因子が喘息病態に及ぼす影響

うつ病を伴う喘息患者では，気管支拡張薬に対する反応性が低下している[9]。また，ストレス下にある小児では，ステロイドによる単核球からのIL-5産生の抑制効果が乏しい[10]。背景として，慢性の精神的ストレス下では，β_2アドレナリン受容体とグルココルチコイド受容体の発現が低下していることが報告されている[11]。ストレス下では交感神経系優位となり，コルチゾルやエピネフリンの産生が誘導されるが[12]，慢性的なコルチゾルやエピネフリンへの曝露により，これらの受容体発現が抑制されることが推定されている。

うつ状態による服薬アドヒアランスの低下も，喘息コントロール状態の悪化の重要な原因と考えられる[13]。うつ症状を有する喘息患者の20%程度において，アドヒアランスの低下が喘息コントロール不良に関与していることが，わが国のクラスター解析で示唆されている[3]。

心身医学的治療が喘息症状に及ぼす効果

心身医学的治療が，喘息症状に及ぼす効果についての検討は多いが，ランダム化比較試験は十分行われていない。

認知行動療法は患者の思考パターンに注目させ，そう考える理由を問い，ほかの思考の可能性を探り，不適応状態を改善させる治療法である。不安障害やパニック障害が併存する喘息患者を含むメタ解析において，認知行動療法は通常の治療のみと比較して，QOL，喘息コントロール，および不安のレベルを改善することが示されている[14]。ただし，認知行動療法の対象とすべき患者像を明らかにし，具体的な治療方法をさらに確立する必要がある。

また，精神障害が併存しない一般的な喘息患者に対して，自律訓練法の有効性を示すメタ解析や[15]，リラクゼーション法の有効性を示すランダム化比較試験がある[16]。

抗うつ薬による喘息症状の改善効果についてのエビデンスは十分ではない。しかし，最近のランダム化二重盲検試験で，喘息コントロール不良かつ，うつ症状が強い患者における，喘息症状や増悪の改善効果が報告されている[17]。

喘息患者が精神障害を併発する頻度は高く，心身医学的介入が喘息症状に及ぼす影響について有望な結果もみられることから，さらにエビデンスを蓄積する必要がある。

文献

1) Goodwin RD, Jacobi F, Thefeld W. Mental disorders and asthma in the community. Arch Gen Psychiatry. 2003；60：1125-30.
2) Moussavi S, Chatterji S, Verdes E, et al. Depression, chronic diseases, and decrements in health：results from the World Health Surveys. Lancet. 2007；370：851-8.
3) Seino Y, Hasegawa T, Koya T, et al. A Cluster Analysis of Bronchial Asthma Patients with Depressive Symptoms. Intern Med. 2018；57：1967-75.
4) Patel PO, Patel MR, Baptist AP. Depression and Asthma Outcomes in Older Adults：Results from the National Health and Nutrition Examination Survey. J Allergy Clin Immunol Pract. 2017；5：1691-7. e1.
5) Luyster FS, Strollo PJ, Jr. , Holguin F, et al. Association Between Insomnia and Asthma Burden in the Severe Asthma Research Program (SARP) III. Chest. 2016；150：1242-50.
6) Alonso J, de Jonge P, Lim CC, et al. Association between mental disorders and subsequent adult onset asthma. J Psychiatr Res. 2014；59：179-88.
7) Hasler G, Gergen PJ, Kleinbaum DG, et al. Asthma and panic in young adults：a 20-year prospective community study. Am J Respir Crit Care Med. 2005；171：1224-30.
8) Chida Y, Hamer M, Steptoe A. A bidirectional relationship between psychosocial factors and atopic disorders：a systematic review and meta-analysis. Psychosom Med. 2008；70：102-16.
9) Han YY, Forno E, Marsland AL, et al. Depression, Asthma, and Bronchodilator Response in a Nationwide Study of US Adults. J Allergy Clin Immunol Pract. 2016；4：68-73. e1.
10) Miller GE, Gaudin A, Zysk E, et al. Parental support and cytokine activity in childhood asthma：the role of glucocorticoid sensitivity. J Allergy Clin Immunol. 2009；123：824-30.
11) Miller GE, Chen E. Life stress and diminished expression of genes encoding glucocorticoid receptor and beta2-adrenergic receptor in children with asthma. Proc Natl Acad Sci U S A. 2006；103：5496-501.
12) McEwen BS. Protective and damaging effects of stress mediators. N Engl J Med. 1998；338：171-9.
13) Bosley CM, Fosbury JA, Cochrane GM. The psychological factors associated with poor compliance with treatment in asthma. Eur Respir J. 1995；8：899-904.
14) Kew KM, Nashed M, Dulay V, Yorke J. Cognitive behavioural therapy (CBT) for adults and adolescents with asthma. Cochrane Database Syst Rev. 2016；9：Cd011818.
15) Stetter F, Kupper S. Autogenic training：a meta-analysis of clinical outcome studies. Appl Psychophysiol Biofeedback. 2002；27：45-98.
16) Lahmann C, Nickel M, Schuster T, et al. Functional relaxation and guided imagery as complementary therapy in asthma：a randomized controlled clinical trial. Psychother Psychosom. 2009；78：233-9.
17) Brown ES, Sayed N, Van Enkevort E, et al. A Randomized, Double-Blind, Placebo-Controlled Trial of Escitalopram in Patients with Asthma and Major Depressive Disorder. J Allergy Clin Immunol Pract. 2018；6：1604-12.

第5章

治　療

A　成人の長期管理

1　難治性喘息の標準的治療とコントロール評価（ICS，LABA，SRT，LTRA，LAMA を含む）

ポイント

- 難治性喘息に対しては，高用量の ICS と LABA の併用（配合薬）を基本として，LTRA，SRT，LAMA などを追加するのが標準的治療である。
- 標準的治療にてもコントロールが困難な場合は，OCS（できるだけ連用を避けて必要最小限投与）や抗 IgE 抗体，抗 IL-5 抗体，抗 IL-5Rα 抗体，抗 IL-4Rα 抗体，抗 TSLP 抗体などの生物学的製剤の使用を考慮する。
- 喘息コントロールの評価は，「喘息症状」「増悪治療薬の使用」「運動を含む活動制限」「呼吸機能（FEV_1 および PEF）」「PEF の日（週）内変動」「増悪」の項目で判断する。これらの項目のうち，いずれかが該当すれば「コントロール不十分」と評価する。また，「コントロール不十分」の項目が 3 つ以上当てはまる，もしくは増悪が月に 1 回以上あれば「コントロール不良」と判断する。

はじめに

日本の『喘息予防・管理ガイドライン』（JGL）では，重症（難治性）喘息の薬物治療として，治療ステップ 4 の治療，すなわち高用量の吸入ステロイド薬（inhaled corticosteroid：ICS）と長時間作用性 β_2 刺激薬（long-acting β_2 agonist：LABA）に加え，ロイコトリエン受容体拮抗薬（leukotriene receptor antagonist：LTRA），テオフィリン徐放製剤（sustained-release theophylline：SRT），長時間作用性抗コリン薬（long-acting muscarinic antagonist：LAMA），抗 IgE 抗体，抗 IL-5 抗体／抗 IL-5R α 抗体，抗 IL-4R α 抗体，経口ステロイド薬（oral corticosteroid：OCS）などの薬剤を併用して，良好な喘息コントロールを目指すよう推奨している[1)]。本項では，これらの難治性喘息に使われる薬物のうち，標準的な治療薬および喘息コントロールの評価について述べる。

吸入ステロイド薬

JGL と Global Initiative for Asthma（GINA）における，各種 ICS の推奨用量一覧を表 1 にまとめる［GINA では，ブデソニド吸入用懸濁液（BIS）は 12 歳以上の喘息に ICS としての使用は推奨されていない］。JGL では，承認された各 ICS の最大用量を高用量（難治性喘息で使用される用量）とし，その半分を中用量，さらにその半分

表1 ICSの投与用量の目安

薬剤名	低用量(μg/日)		中用量(μg/日)		高用量(μg/日)	
	GINA	JGL	GINA	JGL	GINA	JGL
BDP-HFA	100～200	100～200	>200～400	400	>400	800
FP-HFA	100～250	100～200	>250～500	400	>500	800
CIC-HFA	80～160	100～200	>160～320	400	>320	800
FP-DPI	100～250	100～200	>250～500	400	>500	800
MF-DPI	110～220	100～200	>220～440	400	>440	800
BUD-DPI	200～400	200～400	>400～800	800	>800	1,600
FF-DPI	100	100		100～200	200	200
BIS		0.5mg/日		1.0mg/日		2.0mg/日

BDP：ベクロメタゾンプロピオン酸エステル，HFA：代替フロンガス，FP：フルチカゾンプロピオン酸エステル，CIC：シクレソニド，DPI：ドライパウダー定量吸入器，MF：モメタゾンフランカルボン酸エステル，BUD：ブデソニド，FF：フルチカゾンフランカルボン酸エステル，BIS：ブデソニド吸入液。

を低用量と定めている[1)]。また，JGLでは各種ICSの高用量を，それぞれBDP-HFA・FP-HFA・CIC-HFA・FP-DPI・MF-DPIでは800μg/日，BUD-DPIでは1,600μg/日，FF-DPIでは200μg/日と定めているのに対し，GINAではFF-DPIを除いて最大用量の上限を定めていない[2)]。この違いは，GINAにおける重症(難治性)喘息対策はOCSよりも，より高用量のICSとほかの薬剤の併用による治療を優先するという考えに基づいているとされる[3)]。

一般的にICSは投与量が中用量を上回ると，増量の効果はほとんどみられなくなるといわれているが[4)]，吸入量が多ければ重篤な急性増悪を減少させ[5)]，全身性ステロイド薬の減量効果が得られる[4)6)]。吸入薬の薬効を最大限に引き出すためには，口腔内に付着する薬剤を減らし効率的に気管内に送達させることが重要である。舌を下げ，咽頭を広げて吸入する「ホー吸入」を導入する[7)-9)]。

なお，日本では通常のICSのデバイスが使用困難な小児や高齢者などに，ジェット式ネブライザーを用いたBISが使用できる。

長時間作用性β_2刺激薬

LABAは難治性喘息の基本治療薬としてICSと併用されるが，実臨床では，ICSとの配合薬(ICS/LABA)として使用されることが多い。薬理学的にステロイド薬はβ_2受容体の数を増加させ，β_2刺激薬はグルココルチコイド受容体の核内移行を促進させて両薬剤は相互作用を示すことが知られている[10)]。

各種ICS/LABAの推奨用量一覧がJGLにまとめられている(表2)[1)]。難治性喘息では，高用量で用いられる。

テオフィリン徐放製剤

テオフィリン薬は，その基本である非特異的ホスホジエステラーゼ(phosphodiesterase：PDE)阻害作用による気管支拡張作用をはじめ，ヒストン脱アセチル化酵素2(histone deacetylase 2：HDAC2)活性化作用による抗炎症効果[11)-13)]，炎症細胞の浸潤抑制[14)-16)]などが薬理学的効果として報告されている。高用量ICSの併用薬として第一選択に位置付けられてきたが，2009年に改訂されたJGLでは，その座をLABAに明け渡した[17)]。それは，SRTのICSの併用薬としての臨床的効果について，LABAよりやや劣ること，LTRAと同等かやや劣ること，SRT単剤よりもLABAに上乗せしたほうが気管支拡張効果が期待できるなどの報告がなされたためである[1)]。

ロイコトリエン受容体拮抗薬

LTRAは，ロイコトリエン受容体であるCysLT$_1$，CysLT$_2$，CysLT$_3$のうち，CysLT$_1$受容体拮抗作用を示し，気管支拡張作用や気道炎症抑制作用を有する[1)]。ICS治療中で完全にコントロールされない中等症～重症

表2 各ICS/LABA配合薬の投与用量の目安

薬剤名	低用量	中用量	高用量
FP/SM(DPI)	100μg製剤1吸入1日2回 200μg/100μg	250μg製剤1吸入1日2回 500μg/100μg	500μg製剤1吸入1日2回 1,000μg/100μg
BUD/FM(DPI)	1吸入1日2回 320μg/9μg	2吸入1日2回 640μg/18μg	4吸入1日2回 1,280μg/36μg
FP/SM(pMDI)	50μg製剤2吸入1日2回 200μg/100μg	125μg製剤2吸入1日2回 500μg/100μg	250μg製剤2吸入1日2回 1,000μg/100μg
FP/FM(pMDI)	50μg製剤2吸入1日2回 200μg/20μg	125μg製剤2吸入1日2回 500μg/20μg	125μg製剤4吸入1日2回 1,000μg/40μg
FF/VI(DPI)	100μg製剤1吸入1日1回 100μg/25μg	100μg製剤1吸入1日1回 100μg/25μg または 200μg製剤1吸入1日1回 200μg/25μg	200μg製剤1吸入1日1回 200μg/25μg
MF/IND(DPI)	吸入用カプセル低用量 1日1回1カプセル 80μg/150μg	吸入用カプセル中用量 1日1回1カプセル 160μg/150μg	吸入用カプセル高用量 1日1回1カプセル 320μg/150μg

FP：フルチカゾンプロピオン酸エステル，SM：サルメテロールキシナホ酸塩，DPI：ドライパウダー定量吸入器，BUD：ブデソニド，FM：ホルモテロールフマル酸塩水和物，pMDI：加圧式定量噴霧式吸入器，FF：フルチカゾンフランカルボン酸エステル，VI：ビランテロールトリフェニル酢酸塩，MF：モメタゾンフランカルボン酸エステル，IND：インダカテロール酢酸塩。

（文献1より引用）

(難治性)喘息患者を対象にLTRAを加えた研究のメタ解析(コクランレビュー)では，LTRAの追加によって喘息増悪が抑制され，呼吸機能や喘息コントロールの改善が得られた[18]。

ICSに追加する薬剤としてLABAとLTRAを比較したコクランレビューによると，低用量のICSにLABAを加えた群のほうがLTRAを加えた群と比較して，OCSを要する増悪を減らし，呼吸機能やQOLを改善させた[19]。

LTRAの併用効果が特に期待されるのは，アレルギー性鼻炎合併喘息，運動誘発喘息，アスピリン喘息(NSAIDs-exacerbated respiratory disease：N-ERD)などの場合である[1]。

長時間作用性抗コリン薬

チオトロピウムは，気道におけるムスカリン受容体(M_1，M_2，M_3)のすべてに対し同程度に結合し阻害するものの，M_1，M_3受容体からの解離が遅いため，高い選択性と持続効果を発揮する。一方，オートレセプターとしてアセチルコリンの放出を抑制するM_2受容体に対しては，短時間で解離するという特性がある[20]。近年，中・高用量ICS/LABAでコントロール不良の難治性喘息患者に対するチオトロピウムの短期効果(8週間投与)[21]や長期試験での有効性[22]が相次いで報告されたことにより，喘息に対する適応を取得するに至った。JGLでは，治療ステップ2からチオトロピウムが，治療ステップ3からトリプル製剤(MF/GLY/IND，FF/UMEC/VI)が使用可能となった(表3)[1]。

経口ステロイド薬

OCSは，高用量ICS/LABAにLTRA，SRT，LAMAなどを併用しても喘息のコントロールが不良な場合に用いられるが，可能な限り連用を回避したほうがよい。OCSを投与する場合は短期間の間欠的投与(プレドニゾロン0.5mg/kg前後または同等量を通常1週間以内)が原則になっており，それでもコントロールが得られず，連用しなければならない場合は，必要最小量を維持量(プレドニゾロン5mg程度)とするように定められている[1]。ちなみに，GINA2021ではOCS連用の場合はプレドニゾロン換算で7.5mg/日以下を勧めている[2]。

表3 各ICS/LAMA/LABA配合薬の投与用量の目安

薬剤名	低用量	中用量	高用量
MF/GLY/IND (DPI)		吸入用カプセル中用量80μg製剤 1カプセルを1日1回 80μg/50μg/150μg	吸入用カプセル高用量160μg製剤 1カプセルを1日1回 160μg/50μg/150μg
FF/UMEC/VI (DPI)	100μg製剤1回1吸入を1日1回 100μg/62.5μg/25μg	100μg製剤1回1吸入を1日1回 100μg/62.5μg/25μg または 200μg製剤1回1吸入を1日1回 200μg/62.5μg/25μg	200μg製剤1回1吸入を1日1回 200μg/62.5μg/25μg

FF：フルチカゾンフランカルボン酸エステル，UMEC：ウメクリジニウム臭化物，VI：ビランテロールトリフェニル酢酸塩，MF：モメタゾンフランカルボン酸エステル，GLY：グリコピロニウム臭化物，IND：インダカテロール酢酸塩。

（文献1より引用改変）

表4 喘息コントロール状態の評価

	コントロール良好（すべての項目が該当）	コントロール不十分（いずれかの項目が該当）	コントロール不良
喘息症状（日中および夜間）	なし	週1回以上	コントロール不十分の項目が3つ以上当てはまる
増悪治療薬の使用	なし	週1回以上	
運動を含む活動制限	なし	あり	
呼吸機能（FEV_1 および PEF）	予測値あるいは自己最高値の80%以上	予測値あるいは自己最高値の80%未満	
PEFの日（週）内変動	20%未満＊1	20%以上	
増悪（予定外受診，救急受診，入院）	なし	年に1回以上	月に1回以上＊2

＊1：1日2回測定による日内変動の正常上限は8%である。
＊2：増悪が月に1回以上あればほかの項目が該当しなくともコントロール不良と評価する。

（文献1より引用）

なお，2014年に発表された欧州呼吸器学会（European Respiratory Society：ERS）／米国胸部学会（American Thoracic Society：ATS）の『重症喘息一定義，評価，治療に関するERS/ATSガイドライン』によると，喘息増悪のコントロールに対するOCS低用量の継続投与が複数回の不連続短期投与より優れているかどうかは明らかでない[23)24)]。

難治性喘息のコントロール評価

JGL2021では日常の喘息コントロール状態の評価を，「喘息症状」「増悪治療薬の使用」「運動を含む活動制限」「呼吸機能（FEV_1 および PEF）」「PEFの日（週）内変動」「増悪」で判断するように勧めている（表4）[1)]。難治性喘息においても，この評価表の「コントロール良好」を目指して治療が行われるべきである。もし，標準的治療下でコントロール不良なら，生物学的製剤の併用が考慮される。ERS/ATSの『重症喘息一定義，評価，治療に関するERS/ATSガイドライン』では，表5に掲げる4つの項目のうち，1つでも当てはまれば「コントロール不良喘息」とされる[24)25)]。

おわりに

難治性喘息における高用量ICS/LABAを中心とした標準治療では，高用量ICSの副作用に注意する必要がある。それについては，次項で述べる。

文献

1）一般社団法人日本アレルギー学会喘息ガイドライン専門部会（監）．「喘息予防・管理ガイドライン2021」作成委員．喘息予防・管理ガイドライン2021．東京：協和企画；2021.
2）Global Initiative for Asthma（GINA）. 2021 GINA Report, Global Strategy for Asthma Management and Prevention. https://ginasthma.org/wp-content/uploads/2021/05/GINA-

表5 「コントロール不良喘息」の基準

1. 症状のコントロールが不良
a. ACQ(Asthma Control Questionnaire：喘息コントロール質問票)が常に1.5以上もしくは,
b. ACT(Asthma Control Test：喘息コントロールテスト)が20点未満もしくは,
c. National Asthma Education and Prevention Program：米国喘息教育予防プログラムとGINAにおける「コントロール不良」の評価が3ヵ月間以上続く
2. 頻回の重度増悪
前年における全身性ステロイド薬の短期間使用が2回以上(それぞれ3日超)
3. 重篤な増悪
前年における入院, ICUへの入院, または人工呼吸実施が1回以上
4. 気流制限
短・長時間作用性気管支拡張薬の中止後の予測 FEV_1 が80%未満(FEV_1/FVC下限未満)

4項目のうち1つでも満たせば当てはまる。

(文献24, 25より作成)

Main-Report-2021-V2-WMS.pdf

3) 足立 満, 美濃口健治. 成人喘息患者に対する吸入ステロイド薬の副腎皮質機能への影響. 日呼吸会誌. 2006；44：151-9.

4) Adams NP, Bestall JC, Jones P, et al. Fluticasone at different doses for chronic asthma in adults and children. Cochrane Database Syst Rev. 2008；4：CD003534.

5) Sullivan SD, Buxton M, Anderson LF, et al. Cost-effectiveness analysis of early intervention with budesonide in mild persistent asthma. J Allergy Clin Immunol. 2003；112：1229-36.

6) Bateman ED, Boushey HA, Bousquet J, et al. Can guideline-defined asthma control be achived? The Gaining optimal Asthma Control study. Am J Respir Crit Care Med. 2004；170：836-44.

7) Yoshida T, Kondo R, Horiguchi T. A comparison of posterior pharyngeal wall areas between different tongue positions during inhalation. J Allergy Clin Immunol Pract. 2019；7：743-5. e1.

8) Horiguchi T, Kondo R. Determination of the preferred tongue position for optimal inhaler use. J Allergy Clin Immunol Pract. 2018；6：1039-41. e3.

9) Yokoi T, Kondo R, Horiguchi T, et al. Residual fluticasone in the oral cavity after inhalation with different tongue positions. J Allergy Clin Immunol Pract. 2019；7：1668-70.

10) Usmani OS, Ito K, Maneechotesuwan K, et al. Glucocorticoid receptor nuclear translocation in airway cells after inhaled combination therapy. Am J Respir Crit Care Med. 2005；172：704-12.

11) Barnes PJ. Theophylline. Am J Respir Crit Care Med. 2013；188：901-6.

12) Weinberger M, Hendeles L. Theophylline in asthma. N Engl J Med. 1996；334：1380-8.

13) Ito K, Lim S, Caramori G, et al. A molecular mechanism of action of theophylline：Induction of histone deacetylase activity to decrease inflammatory gene expression. Proc Natl Acad Sci U S A. 2002；99：8921-6.

14) Finnerty JP, Lee C, Wilson S, et al. Effects of theophylline on inflammatory cells and cytokines in asthmatic subjects：a placebo-controlled parallel group study. Eur Respir J. 1996；9：1672-7.

15) Sullivan P, Bekir S, Jaffar Z, et al. Anti-inflammatory effects of low-dose oral theophylline in atopic asthma. Lancet. 1994；343：1006-8.

16) Minoguchi K, Kohno Y, Oda N, et al. Effect of theophylline withdrawal on airway inflammation in asthma. Clin Exp Allergy. 1998；28：57-63.

17) 一般社団法人日本アレルギー学会喘息ガイドライン専門部会(監).「喘息予防・管理ガイドライン2009」作成委員会. 喘息予防・管理ガイドライン2009. 東京：協和企画；2009.

18) Chauhan BF, Jeyaraman MM, Singh Mann A, et al. Addition of anti-leukotriene agents to inhaled corticosteroids for adults and adolescents with persistent asthma. Cochrane Database Syst Rev. 2017；3：CD010347.

19) Chauhan BF, Ducharme FM. Addition to inhaled corticosteroids of long-acting beta2-agonists versus anti-leukotrienes for chronic asthma. Cochrane Database Syst Rev. 2014；1：CD003137.

20) Scullion JE. The development of anticholinergics in the management of COPD. Int J COPD. 2007；2：33-40.

21) Kerstjens HM, Disse B, Schröder-Babo W, et al. Tiotropium improves lung function in patients with severe uncontrolled asthma：a randomized controlled trial. J Allergy Clin Immunol. 2011；128：308-14.

22) Kerstjens HM, Engel M, Dahl R, et al. Tiotropium in asthma poorly controlled with standard combination therapy. N Engl J Med. 2012；367：1198-207.

23) Chung KF, Wenzel SE, Brozek JL, et al. International ERS/ATS guidelines on definition, evaluation and treatment of

severe asthma. Eur Respir J. 2014；43：343-73.
24）吸入ステロイド薬および経口ステロイド薬による治療．In：ERS/ATS作成合同委員会(編)．一ノ瀬正和(日本語版監修)．重症喘息―定義，評価，治療に関するERS/ATSガイドライン日本語版―．東京：メディカルレビュー社；2014．pp.46-7.
25）Thomson CC, Welsh CH, Carno MA, et al. Severe asthma. Ann Am Thorac Soc. 2014；11：996-7.

A　成人の長期管理

2　高用量吸入ステロイド薬および全身性ステロイド薬による治療と副作用(ステロイド非反応性を含める)

ポイント

- 2型炎症を基盤とする好酸球性喘息のフェノタイプでは，高用量ICSやOCSを併用しても好酸球性炎症が持続することがある。ステロイド抵抗性の機序として，グルココルチコイドと結合しないGRβ比率の増加，GR親和性の低下，GRのDNAに対する結合能の低下などが考えられている。
- ICSは通常量で正しく使用されていれば安全な薬剤であるが，用量依存的に高用量になれば全身性副作用(視床下部‐下垂体‐副腎抑制，骨密度低下，白内障，緑内障，皮膚の菲薄化・脆弱化など)を発現する可能性があるため，注意が必要である。全身性ステロイド薬を連用しなければならない場合は，以前から知られている副作用に十分注意する。

はじめに

難治性喘息の治療には高用量の吸入ステロイド薬(inhaled corticosteroid：ICS)を中心とする治療が必要であり，ときに経口ステロイド薬(oral corticosteroid：OCS)の連用を要する場合もある。吸入薬であってもステロイド薬の高用量を連用する際には，副作用の発現に注意する必要がある。本項では，高用量ICSおよび全身性ステロイド薬の副作用を中心に，またステロイド非反応性について解説を加える。

ステロイド薬非反応性

難治性の成人喘息患者の30%はICSにOCSの併用を必要とするが[1]，ステロイド薬を最大用量で筋注すると，喘息コントロールが改善し，喀痰好酸球数は減少，1秒量(FEV_1)は増加することから，ステロイド薬に対する完全な抵抗性ではなく，相対的な非反応性であると考えられている[1,2]。2型サイトカイン高発現の好酸球性喘息のフェノタイプでは，高用量ICSやOCSを併用しても好酸球性炎症が持続し，非好酸球性喘息のフェノタイプではステロイド薬に対する反応性が比較的低い[1,2]。グルココルチコイド受容体(glucocorticoid receptor：GR)との関連からみたステロイド抵抗性の研究も行われており，グルココルチコイドと結合しないGRβ比率の増加[3]，GR親和性の低下[4]，GRのDNAに対する結合能の低下など[5]が報告されている。

吸入ステロイド薬の副作用

1. 視床下部 - 下垂体 - 副腎抑制

高用量ICSの最も重要な副作用は，副腎抑制と急性副腎不全である[6]。

成人軽症喘息患者に対してブデソニド(BUD)(800～3,200μg/日)，またはプラセボ，経口プレドニゾロン(10mg/日)を6週間投与した二重盲検比較試験において，BUD800および1,600μg/日投与群における副腎皮質刺激ホルモン(adrenocorticotropic hormone：ACTH)刺激後の血漿中コルチゾール濃度の平均低下率はプラセボ群と有意差はなく，BUDは1,600μg/日までの推奨用量の範囲内で副腎抑制しないことが示されている[7]。

一方，フルチカゾンプロピオン酸エステル(FP)について，軽症ないし中等症の喘息患者125例を対象に4用量(220，440，660，880μg/日)とプラセボおよび経口プレドニゾロン(7.5mg/日)とを比較した試験が実施されたところ，FPは440μg/日以上で有意に血清中コルチゾール分泌を抑制し，それは用量依存的であった[8]。

24時間の尿中コルチゾール分泌への影響をみた試験，および午前8時の血漿・血清中コルチゾール値への影響をみた試験の大規模なメタ解析が実施されている[9]。それによると，FPはベクロメタゾン(BDP)，BUDに比べ有意に用量依存的な副腎抑制作用を示し，その傾向は特に800μg/日以上で顕著であった。

一方，プロドラッグ製剤であるシクレソニド(CIC)は160～640μg/日の投与でも副腎抑制することはない[10]。

高用量ICSの副腎抑制に関する英国の臨床統計では，ICS(500～2,000μg/日)使用に伴い低血糖，昏睡，痙攣などの急性副腎不全を発症した喘息患者33例(小児28例，成人5例)が確認され，このうち30例はFP，1例はFPとBUD，2例はBDP使用例であった[6]。なお，これらの症例のICS投与量は日本における承認用量より高いので，過量投与により発現した可能性がある。

以上のことより，ICSは，現在のところCIC以外は用量依存的に副腎抑制作用を有する可能性があり，高用量では注意したほうがよいと考える。

2. 骨密度低下

副腎抑制と並んでICSの全身性副作用で問題となるものに，骨密度への影響がある。Wongらは，喘息患者におけるICSの総使用量と骨密度との関係を検討したところ，平均使用年数6年，平均使用量876μg/日で，腰椎と大腿骨の骨密度はICSの総使用量と負の相関にあったと報告している[11]。特に，ICSを2,000μg/日で7年間使用した患者は，200μg/日で1年間使用した患者と比較すると，骨折のリスクは2倍になる。よって，ICSは用量(総使用量)依存的に骨代謝へ影響を及ぼす可能性があると考えられる。

3. 眼の副作用(白内障，緑内障)

Jickらは大規模なコホート調査を行い，ICS(FP，BUD，BDP)を使用している患者と使用していない患者とを比較したところ，ICS使用患者は白内障合併のリスクが1.3倍高く，40歳以上の患者において著しかったとしている[12]。一方，Toogoodらは，OCSの投与量と投与期間は白内障発症に関連するが，ICSのそれらは白内障発症に関連しないとしている[13]。

Garbeらは，眼圧の高い患者や緑内障を有する患者9,739名を調査したところ，高用量のICSを3ヵ月以上使用していた患者は，ICSを使用していなかった患者と比較して緑内障の発生率が1.44倍有意に高かったと報告した[14]。しかしながら，Samiyらは，種々の呼吸器疾患でICSを使用する患者187名における緑内障発生の危険性は低いと報告している[15]。これらのことから，高用量ICSと白内障および緑内障との関連性については定かではないが，高用量ICSを要する難治性喘息患者では定期的な眼科受診を行ったほうがよいであろう[10]。

4. 肺炎の発症

COPDを対象にICS/長時間作用性β_2刺激薬(long-acting β_2 agonist：LABA)の効果を検証したTORCH試験では，ICS使用群はICS非使用群と比較して有意に肺炎の発症が高率であることが判明し[16]，ICSの使用が慢性閉塞性肺疾患(chronic obstructive pulmonary disease：COPD)患者において，肺炎の危険性を高めるかもしれないことが示唆されるようになった。喘息でも同様の研究が行われているが，BUDやFPを高用量で使用しても肺炎の危険性は高まらないとO'Byrneらは報告した[17]。ところが，McKeeverらは，喘息患者でICS 1,000 μg/日以上の高用量群ではICS未使用群と比較すると肺炎の相対危険度は2.04倍に有意に増加すると報告した[18]。さらに，喘息患者のコホート研究で，肺炎の相対危険度はICS低用量群1.60，中用量群1.53，高用量群1.96と高まった[19]。メタ解析では，喘息のICSランダム化試験を対象とすると肺炎の危険性は低下し，観察試験では逆にその危険性は高まるようであるが[20]，対象となった研究の吸入の方法論の信頼性が低いので，高用量ICSにおける肺炎発症の危険性が高まるかどうかは，まだ議論の余地がある。しかし，COPDと喘息の合併症例に関しては十分に検討していくべき問題である。

5. 皮膚の菲薄化，脆弱化

高用量ICSによって皮膚の副作用(非薄化，脆弱化)が起こる可能性がある。これは，皮膚のコラーゲン合成が低下することによるといわれている[21]。高用量ICSでは，コントロールと比較して15～19%皮膚が薄くなり[22]，脆弱化する[23]。これらの副作用は，長期間のICS使用，高齢者，女性で危険性が高まる[10]。

6. 局所的副作用

ICSの局所の副作用には，口腔・咽頭カンジダ症，嗄声，反射性咳嗽，気道攣縮などが挙げられる[10]。これらは，デバイスの変更やスペーサーの使用，吸入後のうがいを励行することである程度予防可能である。

経口ステロイド薬の副作用

一般的に，ステロイド薬の副作用として，続発性副腎皮質機能不全，糖尿病の誘発・増悪，骨粗鬆症，消化性潰瘍，感染症の誘発・増悪，動脈硬化病変(心筋梗塞，脳梗塞，動脈瘤，血栓症)，骨頭無菌性壊死，ミオパチー，うつ状態および認知機能障害，緑内障，白内障，満月様顔貌，野牛肩，中心性肥満および四肢の脂肪喪失，高血圧および浮腫，多毛，ざ瘡，皮膚線条などが知られている[24]。

おわりに

ICSは通常用量で正しく使用されていれば，安全な薬剤であるが，用量依存的に高用量を長期に使用すれば全身性副作用を発現する可能性があるため，注意しなければならない。

● 文献

1) ChungKF, Wenzel SE, Brozek JL, et al. International ERS/ATS guidelines on definition, evaluation and treatment of severe asthma. Eur Respir J. 2014；43：343-73.
2) 一ノ瀬正和(監). 吸入ステロイド薬および経口ステロイド薬による治療. In：重症喘息―定義，評価，治療に関するERS/ATSガイドライン 日本語版. 東京：メディカルレビュー社；2014. pp.46-7.
3) Sousa AR, Lane SJ, Cidlowski JA, et al. Glucocorticoid resistance in asthma is associated with elevated in vivo expression of the glucocorticoid receptor beta-isoform. J Allergy Clin Immunol. 2000；105：943-50.
4) Sher ER, Leung DY, Surs W, et al. Steroid-resistant asthma. Cellular mechanisms contributing to inadequate response to glucocorticoid therapy. J Clin Invest. 1994；93：33-9.
5) Adcock IM, Lane SJ, Brown CR, et al. Abnormal glucocorticoid receptor-activator protein 1 interaction in steroid-resistant asthma. J Exp Med. 1995；182：1951-8.
6) Todd GR, Acerini CL, Ross-Russell R, et al. Survey of adrenal crisis associated with inhaled corticosteroids in the United Kingdom. Arch Dis Child. 2002；87：457-61.
7) Aaronson D, Kaiser H, Dockhorn R, et al. Effects of budesonide by means of the Turbuhaler on the hypothalamic-pituitary-adrenal axis in asthmatic subjects：a dose-response study. J Allergy Clin Immunol. 1998；101：312-9.
8) Casale TB, Nelson HS, Stricker WE, et al. Suppression of hypothalamic-pituitary-adrenal axis activity with inhaled flunisolide and fluticasone propionate in adult asthma patients. Ann Allergy Asthma Immunol. 2001；87：379-85.
9) Lipworth BJ. Systemic adverse effects of inhaled corticosteroid therapy：A systemic review and meta-analysis. Arch Intern Med. 1999；159：941-55.
10) Dahl R. Systemic side effects of inhaled corticosteroids in patients with asthma. Respir Med. 2006；100：1307-17.
11) Wong CA, Walsh LJ, Smith CJ, et al. Inhaled corticosteroid use and bone-mineral density in patients with asthma. Lancet. 2000；355：1399-403.
12) Jick SS, Vasilakis-Scaramozza C, Maier WC. The risk of cataract among users of inhaled steroids. Epidemiology. 2001；12：229-34.

13) Toogood JH, Markov AE, Baskerville J, et al. Association of ocular cataracts with inhaled and oral steroid therapy during long-term treatment of asthma. J Allergy Clin Immunol. 1993；91：571-9.
14) Garbe E, LeLorier J, Boivin JF, et al. Inhaled and nasal glucocorticoids and the risks of ocular hypertension or open-angle glaucoma. JAMA. 1997；277：722-7.
15) Samiy N, Walton DS, Dreyer EB. Inhaled steroids：effect on intraocular pressure in patients without glaucoma. Can J Ophthalmol. 1996；31：120-3.
16) Crim C, Calverley PMA, Anderson JA, et al. Pneumonia risk in COPD patients receiving inhaled corticosteroids alone or in combination：TORCH study results. Eur Respir J. 2009；34：641-7.
17) O'Byrne PM, Pedersen S, Carlsson LG, et al. Risks of pneumonia in patients with asthma taking inhaled corticosteroids. Am J Respir Crit Care Med. 2011；183：589-95.
18) McKeever T, Harrison TW, Hubbard R, et al. Inhaled corticosteroids and the risk of pneumonia in people with asthma：a case-control study. Chest. 2013；144：1788-94.
19) Qian CJ, Coulombe J, Suissa S, et al. Pneumonia risk in asthma patients using inhaled corticosteroids：a quasi-cohort study. Br J Clin Pharmacol. 2017；83：2077-86.
20) Bansal V, Mangi MA, Johnson MM, et al. Inhaled corticosteroids and incident pneumonia in patients with asthma：Systematic review and meta-analysis. Acta Med Acad. 2015；44：135-58.
21) Autio P, Karjalainen J, Risteli L, et al. Effects of an inhaled steroid (budesonide) on skin collagen synthesis of asthma patients in vivo. Am J Respir Crit Care Med. 1996；153：1172-5.
22) Capewell S, Reynolds S, Shuttleworth D, et al. Purpura and dermal thinning associated with high dose inhaled corticosteroids. BMJ. 1990；300：1548-51.
23) Mak VH, Melchor R, Spiro SG. Easy bruising as a side-effect of inhaled corticosteroids. Eur Respir J. 1992；5：1068-74.
24) 丹野孝一，大野 勲．総論 ステロイド薬の基本知識 D. 副作用についても理解する．In：東田有智（編）．呼吸器疾患のステロイド療法実践マニュアル．東京：南江堂；2014.

A　成人の長期管理

3 生物学的製剤の適応と効果（フェノタイプを含めて）—オマリズマブ，メポリズマブ，ベンラリズマブ，デュピルマブ，テゼペルマブ

ポイント

- 難治性喘息に使用可能な生物学的製剤には，抗 IgE 抗体（オマリズマブ），抗 IL-5 抗体（メポリズマブ），抗 IL-5 受容体α抗体（ベンラリズマブ），抗 IL-4 受容体α抗体（デュピルマブ），抗 TSLP 抗体（テゼペルマブ）の 5 種類がある。
- いずれの生物学的製剤も 2 型炎症優位な病態で有用性が高いが，その使い分けには血清総 IgE，特異的 IgE，末梢血好酸球数，FeNO の測定と ECRS，アトピー性皮膚炎などの併存症の確認が必須である。
- 抗 TSLP 抗体薬は 2 型炎症低値の病態でも一定程度の増悪抑制効果が期待できる。

はじめに

近年の生物学的製剤（ヒト化モノクローナル抗体）の開発により，病態に応じた難治性喘息の治療が可能となってきた。いずれも 2 型炎症が優位な病態に効果を発揮するが，アトピー型難治性喘息ではオマリズマブ（抗 IgE 抗体）が，好酸球性難治性喘息ではメポリズマブ（抗 IL-5 抗体）およびベンラリズマブ（抗 IL-5 受容体α抗体）が，そして IgE や好酸球数にかかわらず使用可能なデュピルマブやテゼペルマブが喘息症状や QOL を改善し，全身性ステロイド薬追加を要する喘息増悪を減らす。これらの生物学的製剤は，全身性ステロイド薬に優先して導入されるべき長期管理薬に位置付けられる。

オマリズマブ（ヒト化抗ヒト IgE モノクローナル抗体）

1. 作用機序

オマリズマブは血中遊離 IgE の Cε3 に結合し，マスト細胞などに発現する高親和性 IgE 受容体（FcεRI）と IgE の結合を阻害する。これにより，一連のⅠ型アレルギー反応を抑制するとともに，気道粘膜内の IgE 陽性細胞や FcεRI 陽性細胞の減少，末梢血中好塩基球上の FcεRI の発現低下も報告されており，疾患修飾薬としての可能性を有する。

2. 適応例・投与方法

高用量の吸入ステロイド薬(inhaled corticosteroid：ICS)および複数の喘息治療薬を併用しても症状が安定しない難治性喘息で，1つ以上の通年性吸入抗原に感作され，体重と血清IgE値(30～1,500 IU/mL)による換算表で定義される基準を満たす場合に適応となる。成人および6歳以上の小児に適応があり，1回75～600mgを2または4週毎に皮下注射する。詳細はゾレア®の添付文書を参照のこと。

3. 臨床効果

アトピー型難治性喘息例のQOLや呼吸機能改善，増悪による救急外来受診や入院数の減少，気道リモデリング抑制効果[1]など，その有用性は数多く報告されている。8つのプラセボ比較試験のメタアナリシス[2]では，オマリズマブ投与により増悪は43％(リスク比0.57)減少し，わが国の解析でも16週までの増悪がプラセボに比し68％(前年の増悪などで補正後)減少した[3]。25のリアルライフ研究のメタアナリシス[4]では，導入4～6ヵ月目で77.2％の難治例が主治医の総合評価(GETE)で有効または著効に達している。1秒量(FEV_1)，QOL，症状スコア，経口ステロイド薬(oral corticosteroid：OCS)やICSの減量，入院頻度の減少が確認され，増悪も治療前との比較で2.64回減っており，GINA2017ではアトピー型重症(難治性)喘息に対しオマリズマブをエビデンスAで推奨している。小児では秋の増悪が減り，その機序としてライノウイルス感染時のIFN-α産生能の回復に寄与した可能性が示唆されている[5]。

また，オマリズマブは16週目での効果判定が推奨されているが，長期使用例ほどQOLの改善を得られ，5年以上使用例ではOCSの減量を含めて治療のステップダウンも達成できるようである[6]。一方，オマリズマブを5年以上使用した176例の中止可能性をみた前向き研究では，その後1年間増悪がなかったのは継続群59人(67.0％)，プラセボ(中止)群42人(47.7％)で，前年の増悪頻度，FEV_1などで補正後も継続群で有意に増悪が少なかった(オッズ比0.44)[7]。

4. 効果予測マーカーなど

オマリズマブの増悪抑制の予測マーカーとして，治療前の2型炎症マーカー［末梢血好酸球，呼気中一酸化窒素濃度(fraction of exhaled nitric oxide：FeNO)，血清ペリオスチン］の高値が挙げられる[8,9]。また，オマリズマブ導入後に低下する血清遊離IgE値はモニタリングに有用な可能性があり，その標的濃度は25～50ng/mL以下とされる。前述のオマリズマブを5年以上使用し中止後増悪した例では，非増悪例に比し中止時の末梢血好酸球数が高かったことから[7]，2型炎症が残る例では中止は慎重にすべきかもしれない。

5. 効果が期待できる併存病態・フェノタイプ

喘息以外にも季節性アレルギー性鼻炎，特発性の慢性蕁麻疹に有効性があり，保険適応がある。また，多数例での検証が必要であるが，難治性喘息に併存しやすいアレルギー性気管支肺アスペルギルス症(allergic bronchopulmonary aspergillosis：ABPA)やアスピリン喘息(NSAIDs-exacerbated respiratory disease：N-ERD)，好酸球性副鼻腔炎(eosinophilic chronic rhinosinusitis：ECRS)や鼻茸を伴う慢性副鼻腔炎などの病態にも有用性が報告されている。また，医師診断のACO(asthma COPD overlap)例において，FEV_1に有意な改善はないものの，喘息コントロール状況やQOLの有意な改善が報告されている。

メポリズマブ（ヒト化抗IL-5モノクローナル抗体）

1. 作用機序

IL-5は好酸球の局所への浸潤・活性化に重要なサイトカインであるが，メポリズマブはIL-5に特異的に結合し，好酸球の細胞表面に発現するIL-5受容体α鎖へのIL-5の結合を阻害する。IL-5による好酸球の増殖作用を抑制し，末梢血・誘発喀痰・気道粘膜内の好酸球数を減らす。

2. 適応例・投与方法

高用量のICSとその他の喘息治療薬を併用しても全身性ステロイド薬などを要する喘息増悪を来す例が適応となる。末梢血好酸球数が多いほど増悪抑制効果が期待でき，投与前の末梢血好酸球数が少ない患者では，その効果が十分得られない可能性がある。成人および12歳以上の小児では1回100mgを，6歳以上12歳未満の小児では1回40mgをそれぞれ4週毎に皮下注射する。詳細はヌーカラの添付文書を参照のこと。

3. 臨床効果

高用量のICSとその他の喘息治療薬下でも前年に2回以上増悪歴のある好酸球性難治性喘息例を対象とした国際共同第Ⅲ相試験(MENSA試験，日本人を含む)では，メポリズマブ100mg 4週毎皮下投与群はプラセボ群に比し32週までの増悪が53%［95%信頼区間(CI)：37-65%］減少した。また，プラセボ群に比しFEV_1(98mL)とコントロール状況も有意に改善した[10]。30%以上増悪抑制が得られた末梢血好酸球数の閾値は150/μLであり，好酸球数が多いほど増悪が減少した。

OCS(プレドニン換算で5～35mg/日相当)を服用中の好酸球性難治性喘息例を対象としたSIRIUS試験では，20週間の投与期間中，メポリズマブ100mg皮下投与群はプラセボ群に比し，OCSを2.39倍(95% CI：1.25-4.56)減量し，増悪も有意に抑制した[11]。第Ⅲb相のMUSCA試験では，治療前好酸球数150/μL以上でプラセボに比べ，メポリズマブ群での有意なQOL改善が確認されている[12]。

気道リモデリングに対する効果も期待でき，喀痰好酸球3%以上で増悪歴のある難治性喘息例を対象とした検討では，1年間のメポリズマブ(750mgを4週毎，経静脈)投与群はプラセボ群に比べ，CT上の気道壁肥厚の改善が得られている[13]。メポリズマブでは長期使用例や中止可能性の検討はまだ少ないが，1年間の治療後中止すると3ヵ月で喀痰・末梢血好酸球数が復し，遅れて増悪も戻ってくるという報告もなされている[14]。

4. 効果予測マーカーなど

メポリズマブは好酸球性難治性喘息に対象を絞ることで有用性が示された薬剤であり，末梢血好酸球数が多いほどその効果は高い。またメポリズマブ導入後，末梢血好酸球数は速やかに低下するが，FeNOは低下しにくい[13]。

5. 効果が期待できる併存病態・フェノタイプ

既存治療で効果不十分な好酸球性多発血管炎性肉芽腫症(eosinophilic granulomatosis with polyangiitis：EGPA)に対しても保険適応があり，メポリズマブ1回300mgを4週毎に皮下注射する。また，鼻茸を伴う慢性副鼻腔炎(メポリズマブ750mgを4週毎，2回経静脈投与)例において，メポリズマブの有用性が報告されている[15]。

ベンラリズマブ
(ヒト化抗IL-5受容体αモノクローナル抗体)

1. 作用機序

ベンラリズマブはIL-5受容体α鎖に対するヒト化モノクローナル抗体であり，Fc領域からフコースを除去することで，高い抗体依存性細胞傷害(antibody dependent cellular cytotoxicity：ADCC)活性を発揮する。ADCC作用により好酸球のアポトーシスを誘導するため，IL-5以外の好酸球活性化因子の存在下でも好酸球の減少が期待できる。ベンラリズマブ投与により末梢血好酸球は速やかに消失し，骨髄，気道の好酸球も減少する。

2. 適応例・投与方法

メポリズマブと同様に，高用量のICSとその他の喘息治療薬を併用しても全身性ステロイド薬などを要する喘息増悪を来す例が適応となる。末梢血好酸球数が多いほど増悪抑制効果が期待でき，投与前の末梢血好酸球数が少ない患者では，その効果が十分得られない可能性がある。通常，成人に対して1回30mgを初回，4週後，8週後に皮下注射し，以降は8週間隔で皮下注射する。詳細はファセンラ®の添付文書を参照のこと。

3. 臨床効果

中用量以上のICSと長時間作用性β_2刺激薬(long-acting β_2 agonist：LABA)による治療下でも前年に増悪を2回以上来した難治性喘息例を対象とした第Ⅲ相試験(CALIMA試験)では，末梢血好酸球数300/μL以上の患者層において，ベンラリズマブ投与(4週毎または8週毎に30mgを皮下注射)群は，プラセボ群に比し56週間の増悪が有意に減少［4週毎投与群36％（率比0.64），8週毎投与群28％（率比0.72）］した。8週毎投与群では症状スコアの改善も得られている[16]。高用量のICSとLABAによる治療下でも前年に増悪を2回以上来した難治性喘息を対象とした第Ⅲ相試験（SIROCCO試験）においても，末梢血好酸球数300/μL以上の患者群において，プラセボ群に比し48週間の増悪を有意に抑制［4週毎投与群45％（率比0.55），8週毎投与群51％（率比0.49）］し，8週毎投与群では喘息症状スコアの改善が得られている[17]。CALIMA試験，SIROCCO試験のいずれも，末梢血好酸球数300/μL以上の患者群において，ベンラリズマブにより有意にFEV_1が改善（106～159mL）している。

なお，好酸球性喘息（喀痰好酸球2％以上またはFeNO 50ppb以上）で中用量以上のICS/LABAによる治療下でも前年に2～6回増悪した患者を対象とした，わが国と韓国の第Ⅱa相試験において，52週間の増悪はベンラリズマブ投与（4週毎に20 mgを皮下注射）群で45％減少し，末梢血好酸球数300/μL以上の例では61％減少した[18]。

また，OCSを3ヵ月以上内服している難治性喘息患者を対象とした，ベンラリズマブの経口ステロイド減量効果を調査したPONENTE試験では，62.9％の症例においてOCSを完全に中止，91.5％の症例において5mg/日以下に減量できている[19]。

4. 効果予測マーカーなど

ベンラリズマブも好酸球性難治性喘息に対象を絞ることで有用性が示された薬剤であり，末梢血好酸球数が多いほどその効果は高い。

5. 効果が期待できる併存病態・フェノタイプ

鼻茸を伴う慢性副鼻腔炎を対象としたプラセボランダム化試験でベンラリズマブ（30mgを8週毎）の鼻茸縮小や症状改善に対して有用性が報告されている[20]。しかし，日本人を含むアジア人を対象にした第Ⅱ相試験では，末梢血好酸球数が高い場合においてのみ有効性が示されている[21]。

デュピルマブ（ヒト型抗IL-4受容体αモノクローナル抗体）

1. 作用機序

デュピルマブはIL-4受容体α鎖に特異的に結合し，IL-4，IL-13両方のシグナル伝達を阻害する。活性型B細胞からIgE産生細胞への分化を誘導するIL-4の作用や，IL-13による気道炎症や気道リモデリングなどを抑制する。

2. 適応例・投与方法

中用量または高用量のICSとその他の長期管理薬を併用しても，全身性ステロイド薬の投与等が必要な喘息増悪を来す例が適応となる。通常，成人および12歳以上の小児に初回に600mgを皮下投与し，その後は1回300mgを2週毎に皮下注射する。詳細はデュピクセント®の添付文書を参照のこと。

3. 臨床効果

中～高用量のICSとLABA，ロイコトリエン受容体拮抗薬（leukotriene receptor antagonist：LTRA）などを2剤以上併用下で前年に1回以上の増悪を来した患者を対象とした第Ⅲ相試験では，年間重度増悪発生率，FEV_1変化量を主要評価項目とした[22]。52週間のデュピルマブ（200mgまたは300mgの2週毎または4週毎）の皮下投与により，実薬群はプラセボ群と比較して年間増悪率を有意に抑制［200mg投与群47.7％（率比0.46），300mg投与群46.0％（率比0.52）］した。一方，末梢血好酸球数とFeNOについてのサブ解析では，末梢血好酸球数150/μL以上，またはFeNO 25ppb以上で有意な重症増悪抑制効果を認め，これらの値が高いほど有効性が高かった。一方，これら両者の値がいずれも低い群では抑制効果を認めなかった。FEV_1変化量については，投与開始2週間でプラセボ群に比較して実薬群で有意な改善を認め［200mg投与群0.2L，300mg投与群0.13L］，この効果は52週間維持される[22]。

また，全身性ステロイド薬の使用量については，デュピルマブ24週の使用で1日平均投与量11.0mg/日から3.1mg/日に68.8％減量され［プラセボ群11.6mg/日から6.4mg/日(41.3%減)]，その後この実薬群，プラセボ群に実薬であるデュピルマブを継続投与したところ，48週後にはそれぞれ2.2mg/日(78.3%)，4.9mg/日(53.4%)，96週後には1.2mg/日(89.3%)，3.0mg/日(74.4%)と，実薬を長期に使用するほど減量効果を示している[23]。

4. 効果予測マーカーなど

末梢血好酸球数≧150/μL，FeNO≧25ppbで増悪抑制効果，FEV_1改善効果を示している[22]。これらの値が高いほどその臨床効果は高く，少なくとも一方のマーカーが基準値以上であることが望ましい。いずれのマーカーも低い場合は有意な改善を示していない。

5. 効果が期待できる併存病態・フェノタイプ

ステロイド外用剤やタクロリムス外用剤でも十分な効果が得られないアトピー性皮膚炎や，全身性ステロイド薬や手術でもコントロール不良の鼻茸を伴う慢性副鼻腔炎にも有効であり，保険適応がある。用量・用法は適応疾患で異なるため，デュピクセント®の添付文書を参照のこと。

テゼペルマブ(抗TSLPモノクローナル抗体)

1. 作用機序

上皮系サイトカインであるTSLP(thymic stromal lymphopoietin)は，グループ2自然リンパ球(group 2 innate lymphoid cells：ILC2)，好酸球の分化・誘導などに作用し，また，骨髄系樹状細胞(mDCs)の活性化を誘導してOX40リガンドを発現させ，Th2細胞を誘導することによって強い2型炎症を惹起する[24]。また，TLR3リガンドとの作用でTh17細胞を誘導する作用も認められることから，好中球炎症にも関与する[25]。このように，TSLPは喘息気道にみられる広いサイトカインネットワークの上流で作用して好酸球炎症や好中球炎症に関与するが，テゼペルマブはTSLPの中和抗体としてこれら作用を阻害する。

2. 適応例・投与方法

中用量または高用量のICSとその他の長期管理薬を併用しても，全身性ステロイド薬の投与等が必要な喘息増悪を来す例が適応となる。血中好酸球数，アトピー素因およびFeNOを含む主なバイオマーカーにかかわらず投与対象となる。通常，成人および12歳以上の小児に1回210mgを4週毎に皮下注射する。詳細はテゼスパイア®の添付文書を参照のこと。

3. 臨床効果

中用量以上のICSと他剤を併用しても増悪を認める患者を対象とした第Ⅲ相試験(NAVIGATOR試験)では，テゼペルマブ(実薬群)は，プラセボ群と比較してベースライン時の血中好酸球数やFeNO値にかかわらず年間急性増悪率を有意に抑制した(実薬群0.93 vs. プラセボ群2.10，P＜0.001)。好酸球数が高いほど増悪抑制効果が高いが，好酸球数＜300/μLかつFeNO＜25ppbのlow T2でも増悪抑制効果を認める(実薬群1.10 vs. プラセボ群1.55)。FEV_1も投与開始2週間で有意に上昇し，52週の時点でプラセボに比べて0.13L改善し，ACQ-6で示されるコントロールレベルやQOLの改善効果も有することが報告された[26]。また，CASCADE試験では，テゼペルマブ投与12週で好酸球数やFeNOの有意な低下を認め，さらに気道リモデリングや気道過敏性改善効果が認められることが示されている[27]。

全身性ステロイド薬減量効果については，第Ⅲ相試験(SOURCE)において，4週毎に36週にわたって減量したところ，全体ではテゼペルマブはプラセボに比べて有意な減量効果は認めなかったが，好酸球数≧150/μLの症例については有意に減量効果を示している[28]。

4. 効果予測マーカーなど

好酸球数やFeNOにかかわらず効果が期待できるが，これらの値が高いほうが有効性は高く，全身性ステロイド薬減量効果も期待できる。

5. 効果が期待できる併存病態・フェノタイプ

テゼペルマブはCOPD，鼻茸を伴う慢性鼻副鼻腔炎，慢性自発性蕁麻疹，および好酸球性食道炎を含むほかの潜在的適応症に対しても現在臨床試験が行われている。

好酸球性食道炎の治療薬として，2021年10月にテゼペルマブは米国食品医薬品局（FDA）から希少疾病用医薬品指定を付与されている。

オマリズマブ，メポリズマブ，ベンラリズマブ，デュピルマブ，テゼペルマブの位置付け

難治性喘息に対する生物学的製剤は5種類が使用可能となっているが，いずれも基本的には2型炎症をターゲットとした治療薬であり，これらの選択には苦慮するところである。末梢血好酸球≧150μLでアレルゲンに感作されていれば，すべての生物学的製剤の有効性が期待できるところである。最近の報告では，好酸球数がきわめて高い場合は好酸球をターゲットとするメポリズマブ，ベンラリズマブを選択し，末梢血好酸球＜150μLで，FeNO＞25ppbの場合はデュピルマブあるいはテゼペルマブ，FeNOも＜25ppbの場合はテゼペルマブを推奨している。また，アレルゲンに感作されている場合は，末梢血好酸球やFeNOにかかわらずオマリズマブを選択可能としている[29]。また，喘息に併存する疾患を参考にして選択するのも1つの方法である。

● 文献

1）Tajiri T, Niimi A, Matsumoto H, et al. Comprehensive efficacy of omalizumab for severe refractory asthma：a time-series observational study. Ann Allergy Asthma Immunol. 2014；113：470-5. e2.
2）Rodrigo GJ, Neffen H, Castro-Rodriguez JA. Efficacy and safety of subcutaneous omalizumab vs placebo as add-on therapy to corticosteroids for children and adults with asthma：a systematic review. Chest. 2011；139：28-35.
3）Ohta K, Miyamoto T, Amagasaki T, et al. Efficacy and safety of omalizumab in an Asian population with moderate-to-severe persistent asthma. Respirology. 2009；14：1156-65.
4）Alhossan A, Lee CS, MacDonald K, et al. "Real-life" Effectiveness Studies of Omalizumab in Adult Patients with Severe Allergic Asthma：Meta-analysis. J Allergy Clin Immunol Pract. 2017；5：1362-70.e2.
5）Teach SJ, Gill MA, Togias A, et al. Preseasonal treatment with either omalizumab or an inhaled corticosteroid boost to prevent fall asthma exacerbations. J Allergy Clin Immunol. 2015；136：1476-85.
6）Sposato B, Scalese M, Latorre M, et al. Can the response to Omalizumab be influenced by treatment duration? A real-life study. Pulm Pharmacol Ther. 2017；44：38-45.
7）Ledford D, Busse W, Trzaskoma B, et al. A randomized multicenter study evaluating Xolair persistence of response after long-term therapy. J Allergy Clin Immunol. 2017；40：162-9. e2.
8）Hanania NA, Wenzel S, Rosen K, et al. Exploring the effects of omalizumab in allergic asthma：an analysis of biomarkers in the EXTRA study. Am J Respir Crit Care Med. 2013；187：804-11.
9）Tajiri T, Matsumoto H, Gon Y, et al. Utility of serum periostin and free IgE levels in evaluating responsiveness to omalizumab in patients with severe asthma. Allergy. 2016；71：1472-9.
10）Ortega HG, Liu MC, Pavord ID, et al. Mepolizumab treatment in patients with severe eosinophilic asthma. N Engl J Med. 2014；371：1198-207.
11）Bel EH, Wenzel SE, Thompson PJ, et al. Oral glucocorticoid-sparing effect of mepolizumab in eosinophilic asthma. N Engl J Med. 2014；371：1189-97.
12）Chupp GL, Bradford ES, Albers FC, et al. Efficacy of mepolizumab add-on therapy on health-related quality of life and markers of asthma control in severe eosinophilic asthma（MUSCA）：a randomised, double-blind, placebo-controlled, parallel-group, multicentre, phase 3b trial. Lancet Respir Med. 2017；5：390-400.
13）Haldar P, Brightling CE, Hargadon B, et al. Mepolizumab and exacerbations of refractory eosinophilic asthma. N Engl J Med. 2009；360：973-84.
14）Haldar P, Brightling CE, Singapuri A, et al. Outcomes after cessation of mepolizumab therapy in severe eosinophilic asthma：a 12-month follow-up analysis. J Allergy Clin Immunol. 2014；133：921-3.
15）Wechsler ME, Akuthota P, Jayne D, et al. Mepolizumab or Placebo for Eosinophilic Granulomatosis with Polyangiitis. N Engl J Med. 2017；376：1921-32.
16）FitzGerald JM, Bleecker ER, Nair P, et al. Benralizumab, an anti-interleukin-5 receptor alpha monoclonal antibody, as add-on treatment for patients with severe, uncontrolled, eosinophilic asthma（CALIMA）：a randomised, double-blind, placebo-controlled phase 3 trial. Lancet. 2016；388：2128-41.
17）Bleecker ER, FitzGerald JM, Chanez P, et al. Efficacy and safety of benralizumab for patients with severe asthma uncontrolled with high-dosage inhaled corticosteroids and long-acting beta2-agonists（SIROCCO）：a randomised, multicentre, placebo-controlled phase 3 trial. Lancet. 2016；388：2115-27.
18）Park HS, Kim MK, Imai N, et al. A Phase 2a Study of Benralizumab for Patients with Eosinophilic Asthma in South Korea and Japan. Int Arch Allergy Immunol. 2016；169：

135-45.
19) Menzies-Gow A, Gurnell M, Heaney LG, et al. Oral corticosteroid elimination via a personalised reduction algorithm in adults with severe, eosinophilic asthma treated with benralizumab (PONENTE) : a multicentre, open-label, single-arm study. Lancet Respir Med. 2022 ; 10 : 47-58.
20) Tversky J, Lane AP, Azar A. Benralizumab effect on severe chronic rhinosinusitis with nasal polyps (CRSwNP) : A randomized double-blind placebo-controlled trial. Clin Exp Allergy. 2021 ; 51 : 836-44.
21) Takabayashi T, Asaka D, Okamoto Y, et al. A Phase II, Multicenter, Randomized, Placebo-Controlled Study of Benralizumab, a Humanized Anti-IL-5R Alpha Monoclonal Antibody, in Patients With Eosinophilic Chronic Rhinosinusitis. Am J Rhinol Allergy. 2021 ; 35 : 861-70.
22) Castro M, Corren J, Pavord ID, et al. Dupilumab Efficacy and Safety in Moderate-to-Severe Uncontrolled Asthma. N Engl J Med. 2018 ; 378 : 2486-96.
23) Sher LD, Wechsler ME, Rabe KF, et al. Dupilumab Reduces Oral Corticosteroid Use in Patients With Corticosteroid-Dependent Severe Asthma : An Analysis of the Phase 3, Open-Label Extension TRAVERSE Trial. Chest. 2022 ; 162 : 46-55.
24) Soumelis V, Reche PA, Kanzler H, et al. Human epithelial cells trigger dendritic cell mediated allergic inflammation by producing TSLP. Nat Immunol. 2002 ; 3 : 673-80.
25) Tanaka J, Watanabe N, Kido M, et al. Human TSLP and TLR3 ligands promote differentiation of Th17 cells with a central memory phenotype under Th2-polarizing conditions. Clin Exp Allergy. 2009 ; 39 : 89-100.
26) Menzies-Gow A, Corren J, Bourdin A, et al. Tezepelumab in Adults and Adolescents with Severe, Uncontrolled Asthma. N Engl J Med. 2021 ; 384 : 1800-9.
27) Diver S, Khalfaoui L, Emson C, et al. Effect of tezepelumab on airway inflammatory cells, remodelling, and hyperresponsiveness in patients with moderate-to-severe uncontrolled asthma (CASCADE) : a double-blind, randomised, placebo-controlled, phase 2 trial. Lancet Respir Med. 2021 ; 9 : 1299-312.
28) Wechsler ME, Menzies-Gow A, Brightling CE, et al. Evaluation of the oral corticosteroid-sparing effect of tezepelumab in adults with oral corticosteroid-dependent asthma (SOURCE) : a randomised, placebo-controlled, phase 3 study. Lancet Respir Med. 2022 ; 10 : 650-60.
29) Brusselle GG, Koppelman GH. Biologic Therapies for Severe Asthma. N Engl J Med. 2022 ; 386 : 157-71.

A　成人の長期管理

4　今後期待される生物学的製剤と適応（フェノタイプを含めて）

ポイント

- 抗 IL-13 抗体薬としてトラロキヌマブの第Ⅲ相試験が行われたが，バイオマーカーとして FeNO 高値で臨床効果が認められる。
- 抗 IL-33 抗体であるイテペキマブの第Ⅱ相試験の結果では，増悪抑制，ACQ 改善，FEV_1 改善が認められている。
- 抗 ST2 抗体薬であるアステゴリマブの第Ⅱb 相試験では，好酸球数にかかわらず増悪抑制効果を示している。

はじめに

現在開発中の生物学的製剤の多くは2型炎症を標的にしたものであり，その適応はそれぞれ重複すると推察される。しかし，各薬剤が標的にするサイトカインシグナルは同一でなく，新たなフェノタイプの治療に寄与する薬剤の開発に期待したい。本項で紹介する生物学的製剤について表1にまとめた。

トラロキヌマブ（ヒト化抗 IL-13 モノクローナル抗体）

1. 作用機序

トラロキヌマブは IL-13 に特異的に結合し，IL-13 の喘息気道への影響（杯細胞過形成，粘液産生，基底膜下の線維化，気道過敏性亢進，気道平滑筋増生など）を抑制することが期待されている。細胞外基質タンパク質であるペリオスチンや誘導性一酸化窒素合成酵素（inducible nitric oxide synthase：i-NOS）も IL-13 により発現が亢進し，好酸球の遊走・維持にかかわるケモカインも誘導する。

2. 期待される臨床効果

トラロキヌマブの第Ⅱb 相試験では1秒量（FEV_1）の改善は得られたが，全例解析で増悪抑制はみられなかった。サブ解析では血清 DPP-4 やペリオスチン高値群で FEV_1 と症状スコアが大きく改善され，血清ペリオスチン高値群で増悪が 67％減少[1]しており，第Ⅲ相試験に進んでいる。2つの第Ⅲ相試験のうち，（STRATOS1 試験）では増悪抑制が達成されなかったが，STRATOS2 試験で有効性のバイオマーカーとしてペリオスチンよりも呼気中一酸化窒素濃度（fraction of exhaled nitric oxide：FeNO）が優れていることが示され，FeNO ＞ 32.3ppb のサブグループではプラセボに比べて年間急性増悪を 38％抑制した。また，cut-off 値を 37ppb にすると，

表1 今後期待される生物学的製剤とその適応型

	標的分子	治験での投与方法・間隔		想定される適応型
トラロキヌマブ	IL-13	皮下投与	2週または4週毎	IL-13優位(好酸球性)難治性喘息
イテペキマブ	IL-33	皮下投与	2週毎	IL-33優位難治性喘息
アステゴリマブ	ST2	皮下投与	4週毎	2型炎症高値および低値

FEV_1，ACQ(Asthma Control Questionnaire：喘息コントロール質問票)，QOLのいずれも有意に改善することが示された[2]。

IL-13の抑制により，末梢血から肺への好酸球の遊走が抑えられるためと考えられるが，詳細な機序は不明である。

イテペキマブ (抗IL-33モノクローナル抗体)

1. 作用機序

IL-33はその受容体であるST2を発現するTh2細胞，好酸球，好塩基球，マスト細胞を刺激して獲得免疫系を刺激するだけでなく，自然免疫系のグループ2自然リンパ球(group 2 innate lymphoid cell：ILC2)にも作用することによって難治性喘息の2型炎症の惹起に強い影響を及ぼす。イテペキマブはIL-33の作用を阻害するモノクローナル抗体であり，難治性喘息の治療に期待されている。

2. 期待される臨床効果

イテペキマブの第Ⅱ相試験では，中～高用量吸入ステロイド薬(inhaled corticosteroid：ICS)／長時間作用性β_2刺激薬(long-acting β_2 agonist：LABA)の投与を受けている成人中等症～重症(難治性)喘息患者を対象にイテペキマブ300mgを2週毎に投与し，LABAを中止，ICSを減量したときのコントロール喪失［ピークフロー(peak expiratory flow：PEF)30％以上低下または短時間作用性β_2刺激薬(short-acting β_2 agonist：SABA)吸入が2日連続，全身ステロイド治療，救急受診，入院など］を抑制するかどうかを検討している。実薬群はプラセボ群に比べてコントロール喪失リスクは0.42と有意に抑制し，さらにPre-BD FEV_1 0.14L，ACQ-5，AQLQ(Asthma Quality of Life Questionnaire)の改善，好酸球減少効果を認めている[3]。

同様に，抗IL-33抗体としてGSK3772847とMSTT1041Aの第Ⅱ相試験が行われているが，結果の公表は保留となっている。

アステゴリマブ (抗ST2モノクローナル抗体)

1. 作用機序

ST2は，interleukin 1 receptor like 1(IL1RL1)として知られる，IL-1受容体ファミリーのメンバーである。可溶型と膜型があり，膜型はILC2，T細胞，好酸球，肥満細胞，樹状細胞などに発現し，IL-33と結合することによってアレルギーや喘息の病態に関与している[4]。アステゴリマブはIL-33受容体であるST2を阻害するIgG2モノクローナル抗体であり，難治性喘息の治療薬として臨床試験が進められている。

2. 期待される臨床効果

アステゴリマブの第Ⅱb相試験は，中用量以上のICSでもコントロール不良で，前年に1回以上増悪のある喘息患者を対象に，プラセボ，アステゴリマブ70mg，210mg，490mgを4週毎に投与する4群で行われた。主要評価項目は52週における急性増悪抑制効果であるが，末梢血好酸球数 ≧ 150/μLの症例については，アステゴリマブ70mg，210mg，490mg投与群のすべてにおいて，プラセボ群に比べて40％以上抑制している。また，末梢血好酸球数＜150/μLの症例ではアステゴリマブ490mg投与群のみ，プラセボ群に比べて42％急性増悪を抑制していた[5]。また，副次評価項目としてはFEV_1，AQLQ，ACQ-5などが評価されているが，490mg投与群だけがプラセボ群に比べてFEV_1を128mLと有意に改善し，AQLQも有意に改善していた。

アステゴリマブの490mgを4週毎投与は，2型炎症高値だけでなく，低値の難治性喘息においても臨床効果が期待できる可能性があり，第Ⅲ相試験に期待したい。

その他の生物学的製剤

ブロダルマブ(抗IL-17受容体抗体)やダクリズマブ(抗IL-2受容体抗体)は，期待されていた効果が得られず，難治性喘息への治療薬としての開発は中止されている。

● 文献

1) Brightling CE, Chanez P, Leigh R, et al. Efficacy and safety of tralokinumab in patients with severe uncontrolled asthma : a randomised, double-blind, placebo-controlled, phase 2b trial. Lancet Respir Med. 2015 ; 3 : 692-701.
2) Gottlow M, Svensson DJ, Lipkovich I, et al. Application of structured statistical analyses to identify a biomarker predictive of enhanced tralokinumab efficacy in phase III clinical trials for severe, uncontrolled asthma. BMC Pulm Med. 2019 ; 19 : 129.
3) Wechsler ME, Ruddy MK, Pavord ID, et al. Efficacy and Safety of Itepekimab in Patients with Moderate-to-Severe Asthma. N Engl J Med. 2021 ; 385 : 1656-68.
4) Liew FY, Girard JP, Turnquist HR. Interleukin-33 in health and disease. Nat Rev Immunol. 2016 ; 16 : 676-89.
5) Kelsen SG, Agache IO, Soong W, et al. Astegolimab(anti-ST2)efficacy and safety in adults with severe asthma : A randomized clinical trial. J Allergy Clin Immunol. 2021 ; 148 : 790-8.

A　成人の長期管理

5　気管支熱形成術の適応と効果

ポイント

- BT は高用量 ICS と LABA を使用してもコントロール不良の難治性喘息患者に適応のある非薬物治療である。
- 患者の選定は，日本呼吸器学会あるいは日本アレルギー学会が認定する専門医が行い，手技は日本呼吸器内視鏡学会認定気管支鏡専門医の指導の下に行う。
- 重度増悪，ER 受診の減少効果と AQLQ 改善効果があり，その効果は 10 年持続する。

気管支熱形成術の概要

気管支熱形成術(bronchial thermoplasty：BT)は難治性喘息患者の喘息症状の緩和を目的とした治療であり，経気管支鏡的に挿入したプローブから高周波エネルギーを気道壁へ通電加熱することで，肥厚した気管支平滑筋を減少させ，その収縮力低下の機序で喘息増悪の軽減を図ることを目的とした非薬物的治療法である。2010 年に米国 FDA で承認され，わが国では 2015 年 4 月に保険適用となった。

BT による治療は 3 回の入院に分けて行い，1 回目の入院では右下葉，2 回目は左下葉，3 回目は左右上葉に手技を施す。また各入院での手技時間は 60 分を超えないものとし，中葉症候群のリスクを考慮して右中葉への処置は行わない。各入院治療の間隔は 3 週間以上あけて，その間に外来で検査を行って回復を確認する。麻酔方法は麻酔科医に管理を依頼して行う全身麻酔法と，ミダゾラムやプロポフォールを使用して意識下に行う局所麻酔法の 2 種類がある。それぞれに長短があるが，麻酔導入に時間と手間を要して費用も多くかかる前者に比べて，咳や分泌物の管理が難しいものの，短時間で簡便にできる後者のほうが多く利用されている。また，喘息増悪予防として手技 3 日前から手技翌日までの 5 日間，プレドニゾロン 50mg/日が投与される。治療対象となるのは内径 3mm から 10mm のすべての気管支で，末梢側からバスケット電極を 5mm ずつ手前に引いて移動させながら連続して処置を行う。

わが国における BT は 2021 年の時点で，約 800 名の喘息患者に施行されている。

気管支熱形成術の適応

BT の適応は，18 歳以上の高用量吸入ステロイド薬(inhaled corticosteroid：ICS)および長時間作用性 β_2 刺激薬(long-acting β_2 agonist：LABA)使用でもコントロール不良の難治性喘息患者である。つまり，ステップ 4 あるいは高用量 ICS を使用しているステップ 3 の治療でもコントロール不十分の喘息患者が対象となる。ただし，気管支拡張薬投与後の 1 秒量(FEV_1)が予測値の

65%未満の症例や，喘息のための経口ステロイド薬(oral corticosteroid：OCS)の使用が10mg/日を超えている症例，さらに過去24ヵ月以内に喘息による挿管またはICU入室歴がある場合や，過去12ヵ月以内に下気道感染が4回以上，下気道感染症による入院が3回以上ある症例では，効果も安全性も確認されていないので注意が必要である。したがって，適応患者の選定は日本呼吸器学会，あるいは日本アレルギー学会専門医が行い，手技は日本呼吸器内視鏡学会認定気管支鏡専門医の指導の下で行う。禁忌は表1に示すようにペースメーカーや植込み型除細動器，その他の植込み式電気機器を使用している患者や，過去2週間以内に喘息の増悪やOCSの増量があった患者，すでにBTを行った患者などとなっている。

表1 BTの適応と禁忌

適応
気管支鏡手技が可能な，高用量のICSおよびLABAで喘息症状がコントロールできない，18歳以上の難治性喘息患者に対し，喘息症状の緩和を目的として，気管支壁に高周波通電を行うために使用する。
禁忌
➤ ペースメーカー，またはICDその他の植込み式電気機器を使用している患者 ➤ リドカイン，アトロピン，ベンゾジアゼピン系抗不安薬等，気管支鏡手技に必要な薬剤が使用できない患者 ➤ 以前に同一部位においてBTを実施した患者 ➤ 呼吸器感染症に罹患している患者 ➤ 過去14日間に喘息増悪またはOCSの用量変更を行った患者 ➤ 血液凝固障害が疑われる患者 ➤ BT前に抗凝固薬，抗血小板薬，アスピリン，NSAIDs等の中止ができない患者

気管支熱形成術の効果

これまでのBTに関する臨床試験の結果を表2にまとめるが，BTの臨床試験としては，AIR Trialで有効性と安全性がランダム化比較試験によって検証され[1]，RISA Trialでは難治例を対象にICSおよびICSを含む投薬量の減少効果とAsthma Control Test(ACT)，Asthma Quality of Life Questionnaire(AQLQ)の改善効果が検証されている[2]。さらにAIR2 Trialでは190例と大規模でのランダム化二重盲検シャム試験が行われ，AQLQの改善と，全身性ステロイド薬を要する重症増悪の年間頻度を減少させ，さらに救急室(ER)受診を減少させることが示された[3]。

また，このAIR2 Trialの追跡調査では，これらの効果は治療後5年間持続することが示された。その詳細は79%の患者でのAQLQの改善と，重症増悪を32%減少させ，さらにER受診を84%減少させたということであったが，FEV_1や気道過敏性の改善は認めていない[4]。また，AIR2 Trialでの治療薬減量効果は，28%の症例でICSを半量以下に減量でき，さらに9%の症例でICS/LABA配合薬が中止となり，7%の症例ですべての喘息治療薬を中止できていることからBTへの反応性の

表2 BTの効果

	ACT	AQLQ	重度増悪頻度(回/年)	ER受診頻度(回/年)	ステロイド減量効果	FEV_1改善効果	PC_{20}改善効果
AIR trial	改善	改善	減少			なし	なし
AIR 2 trial	改善	改善	減少	減少		なし	
RISA trial	改善	改善			OCS減量	なし	
AIR 2 trial(5年追跡調査)			減少	減少	OCS減量	なし	なし
PAS 2 trial(3年追跡調査)			減少	減少	ICS減量		
BT 10+(10年追跡調査)			減少	減少			
RISA trial(5年追跡調査)			減少	減少			

ACT：Asthma Control Test，AQLQ：Asthma Quality of Life Questionnaire，OCS：経口ステロイド薬，ICS：吸入ステロイド薬，PC_{20}：provocative concentration causing a 20% fall in FEV_1(気道過敏性試験)。

高い難治性喘息患者が存在することが示されている。こうした結果を受けて，欧州呼吸器学会(European Respiratory Society：ERS)／米国胸部学会(American Thoracic Society：ATS)ガイドライン[5]では，今後の検討を必要としながらもBTを難治性喘息の治療選択肢の1つとして収載し，Global Initiative for Asthma 2021(GINA2021)Update[6]でもBTはステップ5の難治性成人喘息治療のオプションの1つとして記載されている。

近年，AIR1 Trial，RISA Trial，AIR2 Trialに登録された429例のうち192例の参加者において，BT治療後10.8～15.6年間追跡調査が行われた。その結果，重症増悪に対する改善効果はBT治療後，1年後，5年後と比較し同等に10年後も認められた[7]。適応の項で示した呼吸機能の悪い症例に関して，オーストラリアのBTレジストリではFEV_1が30～50%と閉塞の強い難治性喘息でもBT 6ヵ月後の有効性，安全性が検証されたが[8]，長期間のエビデンスの集積が必要である。また，BTに反応性が高い症例を推測するバイオマーカーが不明である点など今後の課題も残されている。

一方，難治性喘息患者に対するBTの作用機序に関しても徐々に明らかになってきている。初回BT施行後，3～6週間で気管支平滑筋量が減少していることが示され[9)10]，さらに気管支粘膜下や平滑筋層の神経終末が減少していることが示されている[10]。したがって，BTは平滑筋量減少による気管支収縮力減少効果だけでなく，気道系の神経調節機構を介する気道収縮反応を低下させることによって増悪を抑制している可能性がある。また，気管支肺胞洗浄(bronchoalveolar lavage：BAL)中の$TGF\text{-}\beta_1$とRANTESの低下[9]，さらに末梢血好酸球数の減少効果も報告され[11]，これらは喘息増悪や長期的な気道リモデリング抑制効果に関与している可能性がある。

文献

1) Cox G, Thomson NC, Rubin AS, et al. Asthma control during the year after bronchial thermoplasty. N Engl J Med. 2007；356：1327-37.
2) Pavord ID, Cox G, Thomson NC, et al. Safety and efficacy of bronchial thermoplasty in symptomatic, severe asthma. Am J Respir Crit Care Med. 2007；176：1185-91.
3) Castro M, Rubin AS, Laviolette M, et al. Effectiveness and safety of bronchial thermoplasty in the treatment of severe asthma：a multicenter, randomized, double-blind, sham-controlled clinical trial. Am J Respir Crit Care Med. 2010；181：116-24.
4) Wechsler ME, Laviolette M, Rubin AS, et al. Bronchial thermoplasty：Long-term safety and effectiveness in patients with severe persistent asthma. J Allergy Clin Immunol. 2013；132：1295-302.
5) Chung KF, Wenzel SE, Brozek JL, et al. International ERS/ATS guidelines on definition, evaluation and treatment of severe asthma. Eur Respir J. 2014；43：343-73.
6) Global Initiative for Asthma(GINA). 2021 GINA Report, Global Strategy for Asthma Management and Prevention. https://ginasthma.org/wp-content/uploads/2021/05/GINA-Main-Report-2021-V2-WMS.pdf
7) Chaudhuri R, Rubin A, Sumino K, et al. Safety and effectiveness of bronchial thermoplasty after 10 years in patients with persistent asthma (BT10+)：a follow-up of three randomised controlled trials. Lancet Respir Med. 2021；9：457-66.
8) Langton D, Ing A, Fielding D, et al. Safety and Effectiveness of Bronchial Thermoplasty When FEV1 Is Less Than 50. Chest. 2020；157：509-15.
9) Denner DR, Doeing DC, Hogarth DK, et al. Airway Inflammation after Bronchial Thermoplasty for Severe Asthma. Ann Am Thorac Soc. 2015；12：1302-9.
10) Pretolani M, Bergqvist A, Thabut G, et al. Effectiveness of bronchial thermoplasty in patients with severe refractory asthma：Clinical and histopathologic correlations. J Allergy Clin Immunol. 2017；139：1176-85.
11) Ryan DM, Fowler SJ, Niven RM. Reduction in peripheral blood eosinophil counts after bronchial thermoplasty. J Allergy Clin Immunol. 2016；138：308-10.

A　成人の長期管理

6　標準治療から生物学的製剤，気管支熱形成術への治療フロー

ポイント

- アトピー型難治性喘息では抗 IgE 抗体(オマリズマブ)が有効であるが，血清総 IgE 値は 30 ～ 1,500 IU/mL の範囲で適応がある。
- 好酸球性難治性喘息では，抗 IL-5 抗体(メポリズマブ)または抗 IL-5Rα抗体(ベンラリズマブ)が有効であり，導入時に末梢血好酸球数 150/μL 以上，過去 1 年以内に 300/μL 以上が好酸球性喘息の目安である。
- アトピー型および好酸球性の 2 型炎症優位の難治性喘息では，抗 IL-4Rα抗体(デュピルマブ)が有効である。導入時の指標として，末梢血好酸球数 150/μL 以上，または FeNO 25ppb 以上が目安である。
- BT は増悪抑制に有効であるが，現時点ではレスポンダーを示す患者のバイオマーカーが明らかでないので，生物学的製剤の選択が優先される。

治療ステップ4における高用量吸入ステロイド薬(inhaled corticosteroid：ICS)，長時間作用性 β_2 刺激薬(long-acting β_2 agonist：LABA)，ロイコトリエン受容体拮抗薬(leukotriene receptor antagonist：LTRA)，長時間作用性抗コリン薬(long-acting muscarinic antagonist：LAMA)，テオフィリン徐放製剤(sustained-release theophylline：SRT)などを併用する標準治療によっても良好なコントロールが得られず，増悪を繰り返す患者では，喘息の診断が正しく，吸入手技を含む治療アドヒアランスが保たれ，合併症の診断と治療が適切に行われていること，そして増悪因子が回避されていることが確認されれば，難治性喘息と診断することができる[1)]。これらの患者では，抗 IgE 抗体，抗 IL-5 抗体，抗 IL-5Rα抗体や抗 IL-4Rα抗体，抗 TSLP 抗体の生物学的製剤による治療の追加，あるいは気管支熱形成術(bronchial thermoplasty：BT)の施行を検討する。

各治療方法の選択は，個々の患者の病態を考慮して導入すべきであるが，いずれの生物学的製剤も標準治療で抑制が不十分な 2 型優位の気道炎症を伴う病態で有効であるが，その使い分けは単純に決められないこともある。例えば，特異的 IgE が陽性で IL-5 が誘導する好酸球性気道炎症も強い場合は，抗 IgE 抗体薬と抗 IL-5 抗体薬あるいは抗 IL-5Rα抗体のいずれを優先して使用するべきかなど，結論に至っていない。

また，BT は肥厚した気管支平滑筋を減少させることによる気道収縮力低下と増悪抑制が目的の治療であるが，この気管支平滑筋の肥厚にも IL-4 や IL-13 などの 2 型サイトカインが関与している。しかしながら，現時

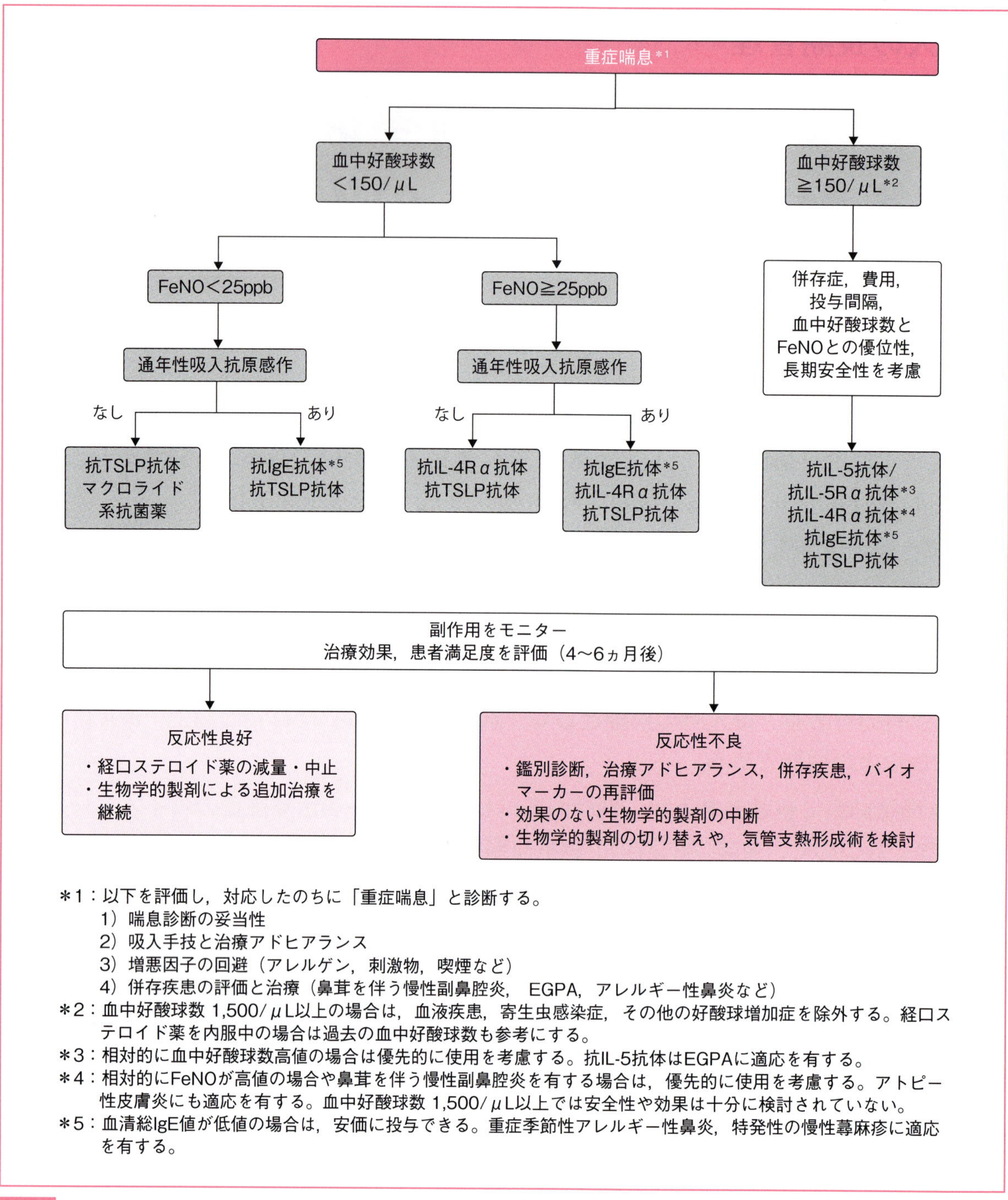

図 1　コントロール不良な成人重症喘息の治療アルゴリズム

（文献 2 より引用）

点ではこの BT 治療に反応のよい患者を示すバイオマーカーは定まっていない。

以上のような問題点はあるが，現時点で，標準治療から生物学的製剤および BT 治療導入のフローチャートをエビデンスに従って示すと［図 1，2(重症喘息＝難治性喘息)］[2)]，2 型炎症有意な病態で特異的 IgE を認め，総 IgE 30 ～ 1,500 IU/mL の治療範囲にあるアトピー型喘息の場合は抗 IgE 抗体が有用であり[3)4)]，アトピーの有無にかかわらず血中好酸球数≧ 150 ～ 300/μL，あるいは喀痰好酸球比率≧ 3％で好酸球性気道炎症を示す場合

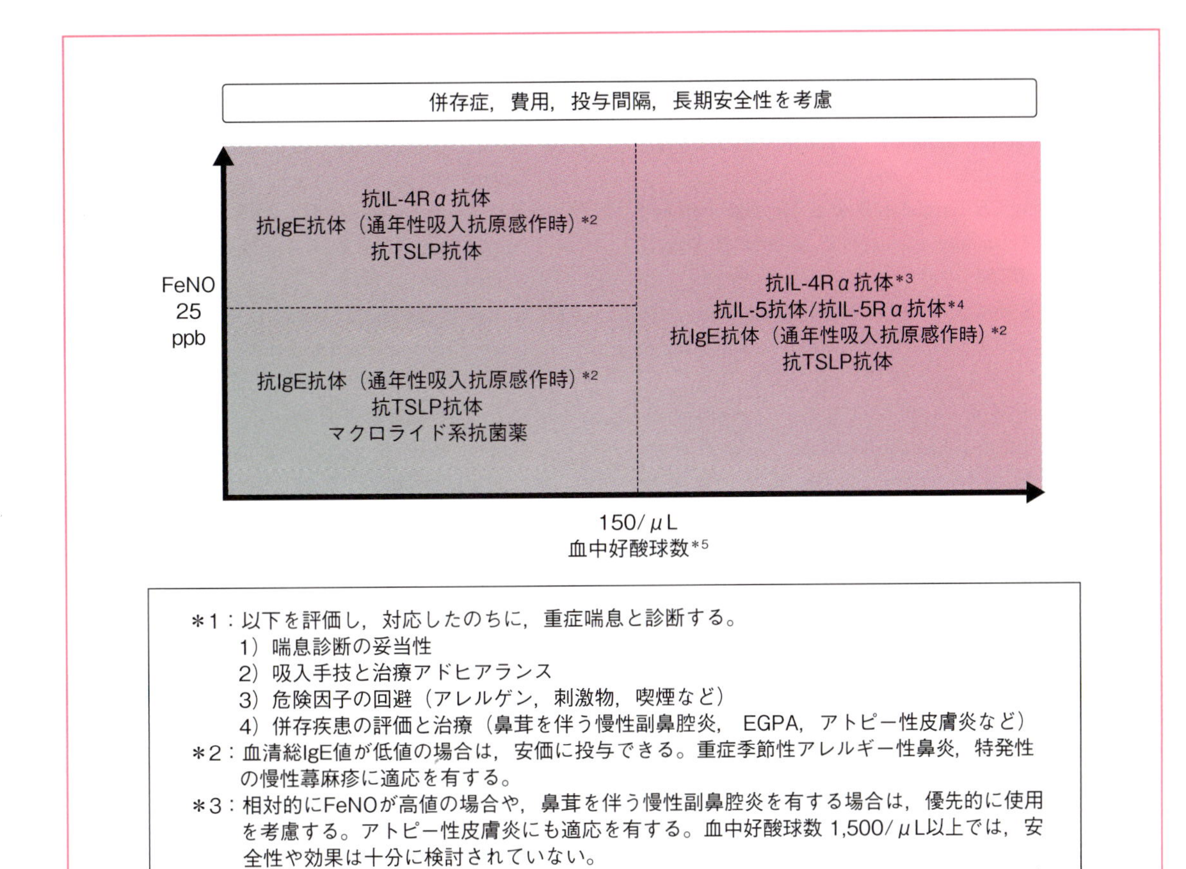

＊1：以下を評価し，対応したのちに，重症喘息と診断する。
1）喘息診断の妥当性
2）吸入手技と治療アドヒアランス
3）危険因子の回避（アレルゲン，刺激物，喫煙など）
4）併存疾患の評価と治療（鼻茸を伴う慢性副鼻腔炎，EGPA，アトピー性皮膚炎など）
＊2：血清総IgE値が低値の場合は，安価に投与できる。重症季節性アレルギー性鼻炎，特発性の慢性蕁麻疹に適応を有する。
＊3：相対的にFeNOが高値の場合や，鼻茸を伴う慢性副鼻腔炎を有する場合は，優先的に使用を考慮する。アトピー性皮膚炎にも適応を有する。血中好酸球数 1,500/μL以上では，安全性や効果は十分に検討されていない。
＊4：相対的に血中好酸球数高値の場合は，優先的に使用を考慮する。抗IL-5抗体はEGPAに適応を有する。
＊5：血中好酸球数 1,500/μL以上の場合は，血液疾患，寄生虫感染症，その他の好酸球増加症を除外する。経口ステロイド薬を内服中の場合は過去の血中好酸球数も参考にする。

図2 バイオマーカーで分類したコントロール不良な成人重症喘息の治療選択＊1

（文献２より引用）

には，抗IL-5抗体や抗IL-5Rα抗体の選択が有用である[5)-9)]。また，中用量または高用量ICSとその他の長期管理薬を併用してもコントロール不良な2型炎症優位の難治性好酸球性喘息で，末梢血好酸球数150/μL以上，またはFeNO 25ppb以上の場合には，抗IL-4Rα抗体が有用である。ただし，中用量ICSとの併用は，医師によりICSを高用量に増量することが副作用などにより困難であると判断された場合に限る[10)]。増悪抑制，症状スコア軽減，QOL改善，呼吸機能改善，入院および救急受診回数の減少効果や全身性ステロイド薬の減量効果が認められる[11)12)]。生物学的製剤の選択には，合併症への適応も考慮し総合的に判断する。

また，専門施設ではBTを行うことが可能であり，BTによって重症増悪の抑制やQOLの改善が示されている[13)14)]。しかし，現時点ではBTが有効な病態を示すバイオマーカーが明らかではないことから，2型炎症優位であれば生物学的製剤の使用を優先し，非2型炎症の場合にはマクロライド系抗菌薬の使用やBTを検討する。

文献

1）Bousquet J, Mantzouranis E, Cruz AA, et al. Uniform definition of asthma severity, control, and exacerbations：document presented for the World Health Organization Consultation on Severe Asthma. J Allergy Clin Immunol. 2010；126：926-38.
2）一般社団法人日本喘息学会. 喘息診療実践ガイドライン 2022. 東京：協和企画；2022.
3）Humbert M, Beasley R, Ayres J, et al. Benefits of omalizumab as add-on therapy in patients with severe persistent asthma who are inadequately controlled despite best available thera-

第5章 治療

py(GINA 2002 step 4 treatment)：INNOVATE. Allergy. 2005；60：309-16.
4) Bousquet J, Wenzel S, Holgate S, et al. Predicting response to omalizumab, an anti-IgE antibody, in patients with allergic asthma. Chest. 2004；125：1378-86.
5) Haldar P, Brightling CE, Hargadon B, et al. Mepolizumab and exacerbations of refractory eosinophilic asthma. N Engl J Med. 2009；360：973-84.
6) Pavord ID, Korn S, Howarth P, et al. Mepolizumab for severe eosinophilic asthma(DREAM)：a multicentre, double-blind, placebo-controlled trial. Lancet. 2012；380：651-9.
7) Ortega HG, Yancey SW, Mayer B, et al. Severe eosinophilic asthma treated with mepolizumab stratified by baseline eosinophil thresholds：a secondary analysis of the DREAM and MENSA studies. Lancet Respir Med. 2016；4：549-56.
8) Bleecker ER, FitzGerald JM, Chanez P, et al. Efficacy and safety of benralizumab for patients with severe asthma uncontrolled with high-dosage inhaled corticosteroids and long-acting β2-agonists(SIROCCO)：a randomised, multicentre, placebo-controlled phase 3 trial. Lancet. 2016；388：2115-27.
9) FitzGerald JM, Bleecker ER, Nair P, et al. Benralizumab, an anti-interleukin-5 receptor α monoclonal antibody, as add-on treatment for patients with severe, uncontrolled, eosinophilic asthma(CALIMA)：a randomised, double-blind, placebo-controlled phase 3 trial. Lancet. 2016；388：2128-41.
10) Global Initiative for Asthma(GINA). Difficult-to-Treat & Severe Asthma in Adolescent and Adult Patients – Diagnosis and Management. V2.0. 2019. https://ginasthma.org/wp-content/uploads/2019/04/GINA-Severe-asthma-Pocket-Guide-v2.0-wms-1.pdf
11) Castro M, Corren J, Pavord ID, et al. Dupilumab Efficacy and Safety in Moderate-to-Severe Uncontrolled Asthma. N Engl J Med. 2018；378：2486-96.
12) Rabe KF, Nair P, Brusselle G, et al. Efficacy and Safety of Dupilumab in Glucocorticoid-Dependent Severe Asthma. N Engl J Med. 2018；378：2475-85.
13) Castro M, Rubin AS, Laviolette M, et al. Effectiveness and safety of bronchial thermoplasty in the treatment of severe asthma：a multicenter, randomized, double-blind, sham-controlled clinical trial. Am J Respir Crit Care Med. 2010；181：116-24.
14) Thomson NC, Rubin AS, Niven RM, et al. Long-term(5 year) safety of bronchial thermoplasty：Asthma Intervention Research(AIR)trial. BMC Pulm Med. 2011；11：8.

B 小児の長期管理

ポイント

- ☑ 喘息の診断を再確認する。
- ☑ 長期管理の障碍となる問題点を見つけて対処する。
- ☑ 生物学的製剤を適切なタイミングで開始し，OCS の使用を最小限とする。

はじめに

わが国の『小児気管支喘息治療・管理ガイドライン2020』(JPGL2020)では，ステップ4の基本治療を行っても十分なコントロールが得られないもののうち，アドヒアランス不良など何らかの問題でコントロールが不十分な，いわゆる「治療困難な喘息」を除く喘息児を「真の重症喘息」，すなわち本手引きで定義する「難治性喘息」として管理することを推奨している[1]。

治療困難な喘息

JPGL2020 のステップ4の基本治療でも十分なコントロールが得られないときには，まず他疾患の鑑別を今一度行って喘息の診断を再確認する。特に喘息症状を常に認める，発熱を繰り返す，増悪時に呼吸状態が著明に悪化するなどの例では，気管支鏡検査を含む多角的な検討が必要となる。喘息の診断が再確認された後，喘息の悪化因子の有無やその程度を評価する(表1)[1]。

アドヒアランス不良や不適切な吸入手技など服薬が不十分なために十分なコントロールが得られない症例はしばしば経験される。アドヒアランスを改善させるためには，医療者が一方的に治療に関する指示を出すのではなく，患者や保護者が喘息の病態を正しく理解しているか，治療目標を医療者ならびに本人・家族と共有できているか，非増悪時と増悪時の対応の違いを理解しているか，吸入手技を含む服薬やセルフモニタリング［喘息日誌，ピークフロー(peak expiratory flow：PEF)モニタリング，質問表による評価など］の実践に困難を感じていないかなど基本的な事柄について，受診の度に繰り返し確認することが大切である。

患者指導は子どもの発達段階に合わせて行い，特に前思春期から思春期は喘息管理の主体が保護者から本人に移る時期であり，服薬を含むセルフケア行動の自立に向けたサポートを行う。また，知的能力障がい，自閉スペクトラム症，注意欠如・多動症，限局性学習症などを合併している子どもは，医療者とのコミュニケーションや病気の理解，服薬の継続が困難となりやすいため，障がいの程度を適切に評価して個別の対応が必要となる。さらに，家の衛生状態が悪い，ペットの管理が不適切，家庭内喫煙が続いているなど劣悪な環境での生活を強いられている子どもについては，福祉と連携を図りながら診療を継続することも大切である。一方，肥満やアレルギー性鼻炎などの身体的な合併症は喘息の難治化につながり[2]，また心理的・精神的な問題が喘息の難治化に関与することもあり，それぞれに対応する必要がある。

このような治療困難例に対応するには，担当医のみでなく，看護師，心理師(士)，ソーシャルワーカーなど多職種によるアプローチが必要となる。しかし，実際には介入の結果がすぐに表れることは少なく，真の重症喘息(＝難治性喘息)と明確に区別できないこともあり，そのような例に対しては難治性喘息と同様の喘息管理を試みることもある。

表 1 喘息の増悪因子と対応

	増悪因子	対応
患者・家族因子	服薬・吸入アドヒアランスの不良 不適切な吸入手技	患者教育
個体因子	合併症(アレルギー性鼻炎，副鼻腔炎，胃食道逆流症など)	合併症治療。ダニによるアレルギー性鼻炎の場合はアレルゲン免疫療法(SCIT および SLIT)を考慮
	肥満	体重の減量を指導
	発達障がい	患者教育，特に個別性に応じた教育が必要
	心因(ストレス)	心理的因子の解消，適切な心理療法
環境因子	ダニ	環境整備，アレルゲン免疫療法
	受動喫煙 ペット飼育	環境整備，喫煙者に対する禁煙指導，アレルゲン曝露の回避
	気象，花粉	ステップダウンの時期が症状増悪の季節と一致する場合は現行治療の継続を考慮 スギ花粉症の場合は，アレルゲン免疫療法(SLIT)を考慮
	呼吸器感染症	(可能な場合)感染症に対してワクチン接種を含めた予防や治療
呼吸機能	ピークフロー(PEF)の日内変動が 20%以上，あるいは自己最良値の 80%以下であるとき フローボリューム曲線測定による 1 秒量(FEV_1)が予測値の 80%以下，β_2 刺激薬吸入に対する反応性が 12%以上ある場合	ステップダウンの際はより慎重に行う
既往	最近 1 年間における，大発作以上の急性増悪の既往 過去に人工呼吸管理などの集中治療を要した治療の既往	ステップダウンの際はより慎重に行う
その他	イベント(受験，登山，マラソン大会など)	ステップダウンの時期がイベント直前の場合は現行治療の継続を考慮

(文献 1 より引用)

表 2 わが国の小児で使用可能な生物学的製剤

	抗 IgE 抗体(オマリズマブ)	抗 IL-5 抗体(メポリズマブ)	抗 IL-4/IL-13 受容体抗体(デュピルマブ)	抗 TSLP 抗体(テゼペルマブ)
商品名	ゾレア®	ヌーカラ	デュピクセント®	テゼスパイア®
対象年齢	6 歳以上	6 歳以上	12 歳以上	12 歳以上
用量・用法	体重，血清総 IgE 濃度に応じて変化(1 回 75 ～ 600mg) 2 ～ 4 週間毎に皮下注射	6 歳以上 12 歳未満：1 回 40mg 12 歳以上：1 回 100mg 4 週間毎に皮下注射	初回 600mg 2 回目以降 300mg を 2 週間毎に皮下注射	1 回 210mg を 4 週間毎に皮下注射

(文献 1 より引用改変)

真の重症喘息(＝難治性喘息)

JPGL2020 では，ステップ 4 の基本治療で十分なコントロールが得られず，さらに上記の問題をクリアしてもなお安定しないものを「真の重症喘息」(＝難治性喘息)と定義し，生物学的製剤の使用を含む追加治療を推奨している。わが国では，表 2 に示す 4 つの製剤が小児で保険適用となっている。そのなかでも小児でのエビデンスが最も多いのがオマリズマブで，長期使用成績も示されている[3)]。また，米国のインナーシティーの小児を対象とした臨床研究では，オマリズマブ投与で秋の喘息増悪が有意に抑制されたのは，感作されているアレルゲン数が多い者，総 IgE 値が高い者，末梢血好酸球数が多い者であったと報告されている[4)]。一方，メポリズマブとデュピルマブに関する小児のみを対象とした臨床研究のデータはオマリズマブに比べるといまだ少ないが，Just らは小児の難治性喘息のフェノタイプに基づく生物学的製剤の使い分けを提案している(図 1)[5)]。しかし，現段階ではどの薬剤がどの喘息児に有効かという明確な

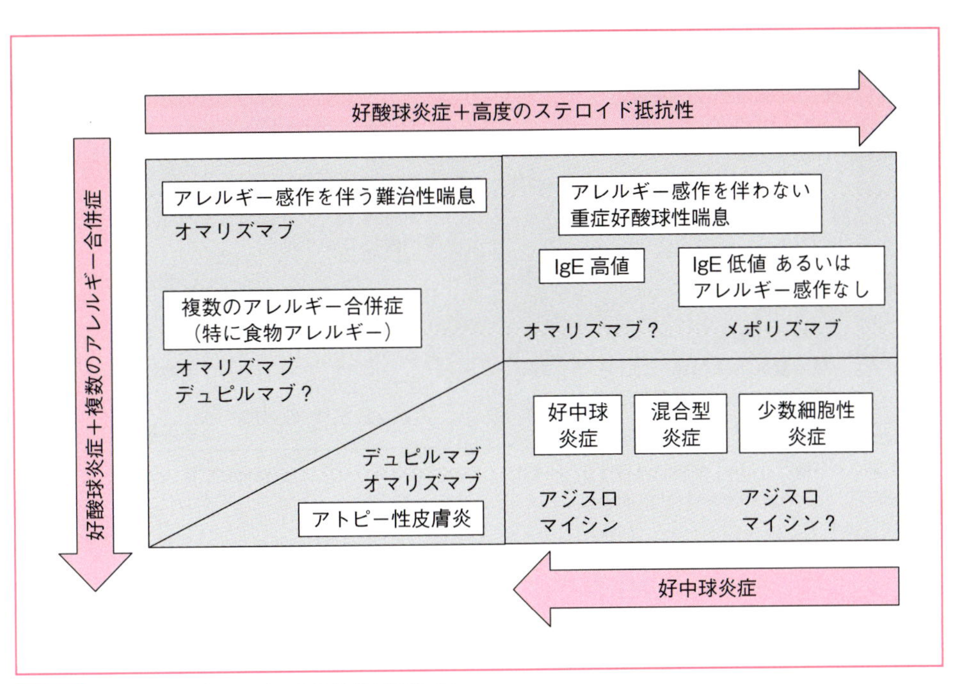

図 1 フェノタイプに基づく生物学的製剤治療

（文献 5 より引用改変）

表 3 生物学的製剤の使用に際しての評価項目

	開始時	開始後
鑑別診断	開始前に他疾患の鑑別を行う。	治療効果が乏しい際には，再度他疾患の鑑別を行う。
喘息の増悪	過去 1 年における発作入院と経口ステロイド薬使用の回数を確認する。	治療中における発作入院と経口ステロイド薬使用の有無を確認する。
コントロール状態	質問票などを用いて客観的に評価する。運動誘発喘息の有無や QOL も評価する。	
治療内容	生物学的製剤の適応とされる治療ステップ 4 であるかを確認する。	生物学的製剤が有効な場合には，併用薬剤の減量を考慮する。
アドヒアランス	吸入手技を含めて確認する。	併用薬剤のアドヒアランスも確認する。
環境因子	受動喫煙，ペットとの接触，ダニが多い環境かなどを確認する。必要に応じて，家庭訪問も考慮する。症状が安定しても確認する。	
合併症	アレルギー性鼻炎・副鼻腔炎の有無やその重症度を評価する。また，心理的な側面についても評価する。	
スパイロメトリー	可逆性試験を含めて，正しい手技で測定する。	
血清総 IgE 値	血清総 IgE 値ならびにダニ特異的 IgE 値を測定する。また，環境や合併症によって，ダニ以外の吸入アレルゲンについても測定する。	
末梢血好酸球数	絶対数で評価する。特にメポリズマブやデュピルマブでは定期的に評価する。	
呼気中一酸化窒素濃度	自施設で測定できない場合には，ほかの医療機関での測定を考慮する（病病連携や病診連携）。	
副作用	ICS 関連（身長の伸びなど）を確認する。	生物学的製剤関連（アナフィラキシー，局所反応，その他予期せぬ症状）を確認する。

（文献 1 より引用）

基準はない。今後，フェノタイプ／エンドタイプを容易に識別できる臨床的なバイオマーカーの開発が望まれる。また，生物学的製剤で治療するにあたっては，表 3 に示すように，治療開始時とともに開始後においても呼吸機能，アドヒアランス，悪化因子，合併症，さらには副作用についても継続的に注意を払う必要がある。

JPGL2020 で難治性喘息かどうかの基準となるステップ 4 の基本治療は，中用量吸入ステロイド薬（inhaled corticosteroid：ICS）／長時間作用性 β_2 刺激薬（long-acting β_2 agonist：LABA）の合剤あるいは高用量 ICS のいずれかに加えてロイコトリエン受容体拮抗薬（leukotriene receptor antagonist：LTRA）やテオフィ

表4 JPGLとGINAにおける難治性喘息に対する治療の位置付け

JPGL2020	Step 4（6～15歳）
基本治療	下記のいずれか ・高用量ICS ・中用量ICS/LABA 以下の併用も可 ・LTRA ・テオフィリン
追加治療	以下を考慮 ・生物学的製剤 ・高用量ICS/LABA ・ICSのさらなる増量 ・経口ステロイド薬

GINA2021	6～11歳	12歳以上
Step 4	・中用量ICS/LABA あるいは ・低用量ICS/LABA*で MART 専門医にコンサルト	中用量ICS/LABA*で MART
Step 5	フェノタイプを考慮して ・高用量ICS/LABA あるいは ・生物学的製剤（抗IgE抗体）の追加	LAMA追加 フェノタイプを考慮して生物学的製剤の追加 高用量ICS/LABAを考慮

ICS：吸入ステロイド薬，LABA：長時間作用性β_2刺激薬，LTRA：ロイコトリエン受容体拮抗薬，LAMA：長時間作用性抗コリン薬，MART：maintenance and reliever therapy
*：ホルモテロール

表5 JPGLとGINAにおける吸入ステロイド薬の用量設定の違い

	年齢区分	吸入ステロイド薬	低用量	中用量	高用量
JPGL2020	0～15歳	フルチカゾン	100	200	400
		シクレソニド	100	200	400
		ブデソニド懸濁液	250	500	1,000
GINA2021	6～11歳	フルチカゾン	50-100	＞100-200	＞200
		ブデソニド懸濁液	250-500	＞500-1,000	＞1,000
	12歳以上	フルチカゾン	100-250	＞250-500	＞500
		シクレソニド	80-160	＞160-320	＞320

（μg/日）

リン徐放製剤（sustained-release theophylline：SRT）の併用となっている（表4）。世界的なガイドラインであるGlobal Initiative for Asthma（GINA）においてJPGL2020のステップ4の基本治療に相当するのはステップ4であるが，その治療内容は比較的シンプルに中用量ICS/LABAの合剤の定期吸入，あるいは低～中用量ICS/LABA（この場合は即効性のあるホルモテロール）を用いたMART（maintenance and reliever therapy）となっている[6]。

JPGLとGINAには上記以外にもいくつかの異なる点がある。まず，表5で示すようにJPGLのほうがGINAに比較してICSの用量が低く設定されている。GINAでは6～11歳の年齢層におけるICSの用量設定にはJPGLと大きな差はないが，12歳以降の年齢層ではJPGLのほうがGINAより一段低い設定となっている。一般的に薬剤を増量する場合，低用量から徐々に増量すると期待される効果の程度が上昇するが，一定以上の用量に達した後ではそれ以上増量しても期待される効果の増加はわずかで，その代わり副作用など望まない効果が目立ってくるとされる。米国のCAMP studyで5～12歳の子どもにブデソニドを4～6年間使用した結果，彼らが平均25歳になった時点での身長はプラセボ使用群に比して有意に低値（−1.2cm）であった[7]。これらのことから，JPGL2020では「ICSの長期使用は成長抑制と関連する可能性があるため，適切な投与を心がけることが推奨される」としている。

また，MARTという長期管理方法もJPGLと異なる点である。MARTは，ICS/LABAの合剤1つを定期吸入として，そして増悪時の頓用として使用する方法で，日本ではSMART（single maintenance and reliever therapy）として知られている方法である。しかし，日本の小児に保険適用となっているICS/ホルモテロールの合剤の使用法は定期吸入だけであり，頓用での使用は認められていない。MARTには，吸入方法をシンプルにすることによるアドヒアランスの向上や，増悪時にもICSを併用することによる抗炎症効果などが期待できるが，現時点ではMARTの有用性に関する小児のみを対象とした臨床研究は少ない。さらに，GINAでは12歳以上においては，生物学的製剤を使用する前に，まず長時間作用性抗コリン薬(long-acting muscarinic antagonist：LAMA)の追加が推奨されている(表4)。日本においても成人喘息を中心に，最近ICS/LABAにLAMAを加えたトリプル製剤が用いられるようになってきている。しかし，これらの管理方法や薬剤の有効性に関する臨床研究の多くは少数の小児を含む成人を主な対象としたものであり，小児を主な対象とした大規模臨床研究はほとんどなく，これらの新たな取り組みを小児に積極的に導入するためにはさらなるエビデンスの蓄積が必要である。

前述のCAMP studyの追跡調査によって，思春期後期(17～19歳)と成人早期(21～23歳)ともに難治性喘息であった者は全体の6%であり，小児期の低呼吸機能と妊娠中の母親の喫煙がその有意な予測因子であったとの報告がある[8)]。また，小児期から成人(45歳)まで呼吸機能をフォローしたコホート研究では，成人期に慢性閉塞性肺疾患(chronic obstructive pulmonary disease：COPD)やACO(asthma COPD overlap)になった者では小児期からすでに呼吸機能が低値であったことが示されている[9)]。これらのことより，喘息児をフォローするうえでは定期的な呼吸機能測定が重要である。しかし，小児期におけるどのようなアプローチが長期的な呼吸機能低下を防ぎうるのかについては十分なエビデンスが得られていない。

まとめ

わが国では，小児の難治性喘息は比較的まれではあるが，成人期の呼吸機能低下を含めた長期的な予後を考えると小児期での適切な対応が重要となる。いわゆる「治療困難な喘息」に対しては多職種が連携したアプローチが必要であり，また「真の重症喘息」(＝難治性喘息)に対してはそれぞれのフェノタイプ／エンドタイプに合わせた治療薬の選択が求められる。しかし，難治性喘息に関する知見の多くは成人を中心とした臨床研究から得られたものであり，今後小児を主な対象とした臨床研究の充実が求められる。

文献

1) 足立雄一，滝沢琢己，二村昌樹，他(監)．日本小児アレルギー学会．小児気管支喘息治療・管理ガイドライン2020．東京：協和企画；2020.
2) Sasaki M, Yoshida K, Adachi Y, et al. Factors associated with asthma control in children：findings from a national Web-based survey. Pediatr Allergy Immunol. 2014；25：804-9.
3) Nieto Garcia A, Garriga-Baraut T, Plaza Martin AM, et al. Omalizumab outcomes for up to 6 years in pediatric patients with severe persistent allergic asthma. Pediatr Allergy Immunol. 2021；32：980-91.
4) Sheehan WJ, Krouse RZ, Calatroni A, et al. Aeroallergen Sensitization, Serum IgE, and Eosinophilia as Predictors of Response to Omalizumab Therapy During the Fall Season Among Children with Persistent Asthma. J Allergy Clin Immunol Pract. 2020；8：3021-8.
5) Just J, Deschildre A, Lejeune S, et al. New perspectives of childhood asthma treatment with biologics. Pediatr Allergy Immunol. 2019；30：159-71.
6) Global Initiative for Asthma(GINA). 2021 GINA Report, Global Strategy for Asthma Management and Prevention. https://ginasthma.org/wp-content/uploads/2021/05/GINA-Main-Report-2021-V2-WMS.pdf
7) Kelly HW, Sternberg AL, Lescher R, et al. Effect of inhaled glucocorticoids in childhood on adult height. N Engl J Med. 2012；367：904-12.
8) Izadi N, Baraghoshi D, Curran-Everett D, et al. Factors Associated with Persistence of Severe Asthma from Late Adolescence to Early Adulthood. Am J Respir Crit Care Med. 2021；204：776-87.
9) Bui DS, Burgess JA, Lowe AJ, et al. Childhood Lung Function Predicts Adult Chronic Obstructive Pulmonary Disease and Asthma-Chronic Obstructive Pulmonary Disease Overlap Syndrome. Am J Respir Crit Care Med. 2017；196：39-46.

索　引

欧 文

■ 数字・ギリシャ文字 ■

■ A ■

■ B ■

■ C ■

■ E ■

■ F ■

■ G ■

■ H ■

■ I ■

■ J ■

■ L ■

■ M ■

■ N ■

和文

■ く ■

■ け ■

■ こ ■

■ し ■

■ す ■

■ せ ■

■ そ ■

■ た ■

■ ち ■

■ て ■

■ と ■

■ な ■

■ に ■

■ の ■

■ は ■

■ ひ ■

■ ふ ■

■ へ ■

■ ほ ■

■ ま ■

■ め ■

■ よ ■

■ ら ■

■ り ■

■ れ ■

■ ろ ■

難治性喘息診断と治療の手引き 第2版 2023

定価　本体 4,000 円（税別）

2023 年 2 月 10 日　第 2 版第 1 刷発行

編　集　日本呼吸器学会難治性喘息診断と治療の手引き第 2 版作成委員会
発行者　日本呼吸器学会（代表）　平井 豊博
発行所　一般社団法人 日本呼吸器学会
〒 113-0033 東京都文京区本郷 3 丁目 28 番 8 号　日内会館 7 階
TEL：03-5805-3553（代）　FAX：03-5805-3554
✉ info@jrs.or.jp　URL：https://www.jrs.or.jp/
発売元　株式会社メディカルレビュー社
〒 113-0034 東京都文京区湯島 3-19-11　湯島ファーストビル
TEL：03-3835-3041（代）　FAX：03-3835-3063
印刷所　広研印刷株式会社

ISBN978-4-7792-2692-2　C3047　¥4000E